U0153995

電影院的哲學家

格林文化
www.grimmpress.com.tw

編選　郝廣才

繪圖　中島泉美

繪圖　高慈敏

繪圖　楊幼筠

責任編輯　彭卉薇

協助編輯　楊雅鈞

協助編輯　何俊宏

美術編輯　李燕玉

封面繪圖　中島泉美

出版　遊目族文化

發行　格林文化事業股份有限公司

地址　台北市新生南路二段 2 號 3 樓

電話　(02)2351-7251

傳真　(02)2351-7244

網址　www.grimmpress.com.tw

E-mail　grimm_service@grimmpress.com.tw

ISBN　978-986-190-079-7

初版　2021 年 5 月 1 刷

　　　2021 年 11 月 3 刷

定價　480 元

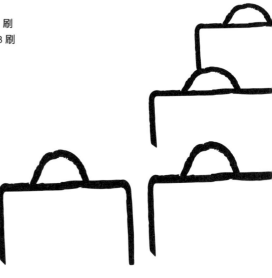

電影院的哲學家

編選　郝廣才

繪圖　中島泉美
繪圖　高慈敏
繪圖　楊幼筠

從感動的對白，
找到理想的自己

為什麼電影的對白那樣一句入魂？

因為它能用最少的文字，來表達最多的東西！

這種挑戰和詩很像，但編劇不能像詩人層層疊疊，九轉八彎。他要一針見血，像電流直擊觀眾的心臟。

但為什麼感人的對白，我們記不住呢？因為那是電影不是書！

書可以隨你高興，停下想，反覆看。電影不行，話音剛落，感動正要起步在你的腦子跑一圈，下一個畫面，下一場戲就來了，你只能跟著往前進。所以我們明明記得情節，知道意思，但最要害的字眼模模糊糊。這好比看球賽，關鍵致勝那一球沒看到，結局你清楚，但味道走了調！怎麼辦？看重播。所以好看的電影，以前我總是看好幾遍。為的是抓住那一兩句精髓，做成我的電影對白筆記。

每當我寫作靈感卡關，就翻開這個筆記，總是能找到鑰匙，打開新的一道門。過程中也很享受，我能利用這些對白，像時光機快速重溫那部電影，那句對

白，那份感動！當我在朋友聚會，不經意說出筆記中的對白，立刻能讓空氣加溫，讓朋友心跳加速，讓談話提升高度，交流倍增寬度。

現在有了網路，尋找電影的對白好像很方便，又不要錢。但是，但是，不要錢的東西會怎樣？沒人負責！資料常常有錯、有假、過度重複。所以我想，何不把我多年累積的筆記做成一本書，變成一道階梯，讓人踩著我的經驗登上高處！

那書該怎麼編？

回到電影對白的精妙，「最少文字，表達最多」。一天只上一層樓，一年 365 天，就能窮盡千里目。所以一天一部電影，365 天一個循環。

那對白怎麼選？

人生最常碰到的選擇是什麼？柴米油鹽醬醋茶，不是。風花雪月琴棋畫，不是。是愛、恨、智、勇、夢、悲、樂！每一個選擇都需要智慧，每一個智慧都需要思考，所以一天一個聚焦，七天一個循環。

意外的是，編輯時間意外的長。除了耗費大量時間在語句的正確、翻譯的精準，最花時間的是寫每部電影的簡介，目標一樣是「最少文字，表達最多」。因為求簡，要花時間來一刪再刪，並且要能完整呈現每部電影。再配上「最少線條，表達最多」的插圖。完美不是再沒有東西可添加，而是再沒有東西可拿掉！終於完成這本《電影院的哲學家》。

　　我們看電影，跟學佛、參禪、上教堂一樣，不是要看見真實的世界，而是要追求理想的世界！我們可以從感人的電影對白，找到理想的自己！那個自己不是天上一顆星，而是一整個星系！

目錄

Love

愛——所有不完美的事物都需要愛。

目錄

恨——恨是一條死路，誰想成為墳墓？

目錄

Wisdom

智——智慧的地獄、愚昧的天堂，你選哪一個？

目錄

勇——害怕還能勇敢，才是真勇敢。

目錄

Dream

夢——如果沒有夢想，我們要往哪裡去？

目錄

悲──有罐頭笑聲，沒有罐頭哭聲，悲劇不用人提醒。

目錄

Happy

樂——沒有笑聲的一天，是浪費的一天。

所有不完美的事物都需要愛。

Love

January
1

阿甘正傳
Forrest Gump

「你以後想成為什麼樣的人？」
「我不是該成為我自己嗎？」

我不知道我們是否各有天命，
或者只是隨機的漂浮，像被微風吹拂。
我想，或許兩者皆是。
命中注定與隨機漂浮，可能正同時發生。

絕對不要讓任何人告訴你，他們比你好。
如果神想要讓所有人都一樣，
祂會讓每個人的腳上都有支架。

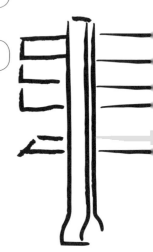

你得先放下過去，才能往前走去。

　　智商不足、脊椎側彎，擋不住一個人對夢想
的追求。時代劇烈變遷，阿甘頭也不回的往前
跑，為了找回童年的摯愛。
● 1994 年出品
導演：勞勃辛密克斯 Robert Zemeckis

14

生活就像一盒巧克力，
你永遠不知道下一塊是什麼口味。

你為什麼不愛我，珍妮？
我不聰明，但我知道什麼是愛。

January 2 | 鬼店
The Shining

女人啊，
你不能跟她們生活，
生活中又不能缺少她們。

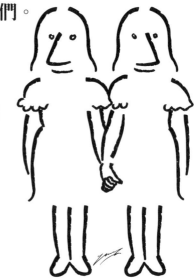

有的地方就像人一樣：
有的可以閃耀，
有的不行。

「我非常困惑，我需要更多時間把事情想清楚！」
「你已經花了該死的一輩子在想事情，
多那幾分鐘對你會有什麼幫助？」

作家傑克找到新工作，帶著妻兒上山，來到全景酒店擔任管理員。每年冬天，暴風雪都會使酒店與外界隔絕。傑克對此信心滿滿，認為孤立環境適合寫作。但是擁有特異功能的兒子丹尼，卻感受到酒店的詭異。

● 1980 年出品　導演：史坦利庫柏力克 Stanley Kubrick

January 3 ｜ 沉默的羔羊
The Silence of the Lambs

所有好事都會發生在願意等待的人身上。

> 第一個原則：簡單。讀一讀羅馬皇帝馬可奧里略的話，
> 面對每一件事，去問：這裡面有什麼？
> 它的本質是什麼？你在找的這個人，他做了些什麼？

> 我們從每天見到的事物開始覬覦。
> 你難道沒感覺到，一雙雙眼睛從你身上掃過嗎？
> 你的眼睛難道不會尋找你想要的事物嗎？

綽號「野牛比爾」的連續殺人魔，剝下人皮，造成恐慌。實習幹員史達琳受命來到特級監獄，向食人魔萊克特求助，希望破解犯案規律。萊克特擾亂她的內心世界，野牛比爾持續犯案，史達琳要面對身心的恐懼，才能停止羔羊的哀號。

● 1991 年出品　導演：強納森德米 Jonathan Demme

17

January 4 | 辛德勒的名單
Schindler's List

> 所謂權力，是指我們有一切充分的理由去殺戮時，我們選擇不殺。

> 我知道你們得到命令，
> 要清洗這個營區內的人口。
> 這是你們執行命令的機會，
> 或者，你們可以離開，回到家人身邊，
> 做一個男人，而不是一個凶手。

> 「將有世世代代因你的行為得以延續。」
> 「但我做得還不夠！」

　　納粹黨員辛德勒買通官員，在波蘭利用猶太人做廉價勞工，大發戰爭財。後來，他被良心喚醒，拯救了上千人的性命。懷有缺陷的辛德勒，選擇讓工廠成為猶太人的避風港，在黑暗年代點燃了人性的火光。

● 1993 年出品　導演：史蒂芬史匹柏 Steven Spielberg

誰救了一條生命，就是拯救了全世界。

Dream

January
5 │ # 海上鋼琴師
The Legend of 1900

你知道鋼琴一共有 88 個琴鍵，沒人可以否定。

它們不是無限的，你才是無限的。

在那 88 個琴鍵上，你可以彈奏出無限的音樂。

冬天來臨時，

盼望著夏天；

夏天到來後，

冬天的陰影又揮之不去。

為此我們從不厭倦旅行，

不斷追逐永遠都是

盛夏的遠方。

一生未離開郵輪的鋼琴家「1900」，用手指創造無限精采的音樂。他想上岸尋覓新風景，但陸地使他卻步，讓他在茫茫未知與狹窄安身處掙扎。他躲回船上，直到這艘船面臨被報廢的命運……

● 1998 年出品　導演：朱塞佩托納多雷 Giuseppe Tornatore

Sad

January 6 | 四百擊
The 400 Blows

「你父母說你總是說謊。」
「喔，我想，有時候我會說謊。有時候我告訴他們實話，他們還是不相信我，所以我寧願說謊。」

　　男孩安端在成長路上，面對師長否定、家庭缺乏關愛，他翹課、目睹母親偷情、撒謊被揭穿，接著逃家、偷竊，被關入感化院。大人的拋棄逼迫敏感迷惘的少年，步步走入難以脫逃的淵沼。最終他溜出感化院，向大海不停奔跑。
● 1959 年出品　導演：法蘭索瓦楚浮 François Truffaut

January 7 | 艾蜜莉的異想世界
Amélie

> 沒有你，現在的情感不過是過往情感死去的硬繭。

> 你的骨頭不是玻璃做的，你可以承受生命中的打擊。
> 如果你讓這個機會白白流逝，
> 你的心最終會變得像我的骨頭一樣，既乾燥又易碎。
> 所以，去找他吧！

> 我們度過光陰，以忘卻光陰的流逝。

> 時間很有趣，當你還是個小孩，它流逝得如此緩慢。
> 然後你突然發現自己五十歲了，
> 你的童年變成了一個生鏽的小鐵盒。

艾蜜莉從小缺乏父母陪伴，只能自己幻想世界的美好。她很少與人正面交流，卻能細心的觀察周遭的生命故事。她始終不敢面對自己的感情，多年累積的壓抑與逃避，會不會讓她錯過幸福的良機？

● 2001 年出品　導演：尚皮耶居內 Jean-Pierre Jeunet

當你手指天空，
愚笨的人看的是你的手指。

運氣就像環法自由車賽。你等待，它就會呼嘯而過。
趁著還有機會時，你必須盡力抓住它。

January 8 | 鐵達尼號
Titanic

女人的心是一片深藏秘密的海洋。

生命是份禮物，我不願意浪費分毫。

你不知道下一輪會抽到什麼牌，你只能在它來臨時，

學習接受生命，把每一天活得值得。

當你一無所有，你就沒什麼好失去的。

少女隨母親及未婚夫搭上首航的「夢之船」，沉悶的貴族生活，令她窒息。年輕窮畫家，於賭局贏得船票，彷彿獲得天堂入場券。甲板上，畫家拯救了正要輕生的少女，兩人不顧背景懸殊，醞釀純真濃烈的感情。巨船卻撞上冰山，畫家為保全少女，沉入冰冷的海底……

● 1997 年出品　導演：詹姆斯卡麥隆 James Cameron

January 9 ｜ 慾望街車
A Streetcar Named Desire

無論你們是誰，我總是依賴陌生人的善良而活。

> 我不想要現實主義。我想要魔法！對，魔法！
>
> 我嘗試把魔法送給人們，我刻意扭曲事情。
>
> 我不說事實，我告訴他們什麼才應該是真的。

　　風韻猶存的布蘭琪，因家道中落精神崩潰，轉而投靠懷孕的妹妹，希望重新開始。她有意無意挑逗粗暴的妹夫，三人關係日漸複雜。對布蘭琪產生情愫的妹夫，見她身上的華服與珠寶，認為她私吞家族的財產。布蘭琪陷入狂暴的感情與不堪的過去，最終被送入精神病院。

● 1951 年出品　導演：伊力山卡 Elia Kazan

January
10

刺激 1995
The Shawshank Redemption

生命可以總結爲一個簡單的選擇：
忙著求生，或忙著死去。

「世界上有些地方不是由堅硬的石頭打造的。
內心深處的某些東西，他們不能干涉，也不能奪去。
那是只屬於你的。」
「你說的是什麼？」
「希望。」

我太太以前說我是個難懂的人，就像一本闔上的書。
她總是如此抱怨。
她好美，天啊，我好愛她。
我只是不懂得如何表達。我殺了她。
槍不是我開的，但我讓她離我遠去。

有些鳥兒注定不會被關在牢籠裡，
牠們的羽毛實在太耀眼。

這些牆很有趣。剛入獄時，你痛恨它；
慢慢的，你習慣了它。
最終，你會發現自己不能沒有它。
這就叫體制化。

希望是美好的，或許是萬物中最美好的；
而美好的事物，永不消逝。

銀行家安迪因殺妻罪名，被判終身監禁。獄中充滿絕望與黑暗，但他從不放棄希望，以智慧和勇氣，鑿開了一條通往光明的隧道。

● 1994 年出品　導演：法蘭克戴拉邦 Frank Darabont

人害怕還能勇敢，才是真勇敢。

January 11 | E.T. 外星人
E.T. the Extra- Terrestrial

E.T. 你在這裡會很快樂，
我會照顧你。
不會讓別人傷害你，
我們可以一起長大。

「你有對 E.T. 解釋什麼是學校嗎？」

「你要怎麼對一個更高的智慧解釋學校？」

「E.T. 的事你不能講出去，
就算是媽媽也不能講。」

「爲什麼？」

「因爲大人看不見他，只有小孩才看得見。」

一個迷失的小孩，無意間遇見被遺落在地球的外星人。兩人相知相惜，搭起友誼的橋樑。男孩鼓起勇氣幫助想回家的 E.T.。爲逃離追捕，E.T. 使用超能力，讓所有騎自行車的孩子飛上天空，一起找到回家的路。

● 1982 年出品　導演：史蒂芬史匹柏 Steven Spielberg

January 12 | 十月的天空
October Sky

挖礦或許是你的人生，但不是我的。

我再也不要回去地底了。我要飛上太空！

1957 年 10 月 4 日，蘇聯發射世上第一顆人造衛星，目睹衛星劃過天際，從此改變海堪的一生。他與朋友努力研究、製作火箭。屢次失敗後，火箭成功飛翔，讓他脫離成為小鎮礦工的宿命，展開追求夢想的奮鬥旅程。

● 1999 年出品　導演：喬強斯頓 Joe Johnston

January
13

小丑
Joker

> 你根本沒在聽，對吧？
> 我想你從來沒有真正聽過我說話。
> 你只是每週問著一樣的問題：
> 「你的工作怎麼樣啊？你有負面想法嗎？」
> 負面想法就是我僅有的一切。

> 你們決定什麼是對的，什麼是錯的，
> 就像你們決定什麼好笑，什麼不好笑一樣。

> 我這一輩子，從來不知道自己是否存在過。
> 但現在我知道了，因為人們開始注意到我了。

　　亞瑟立志為世人帶來歡笑，自己卻活得悲慘無比。他受盡社會的貌視、排擠與霸凌，總以無法自抑的大笑面對。反常的精神狀態，在充滿惡意的大環境中逐漸失控，亞瑟終於反擊，沒想到點燃了市民的仇富怒火。

● 2019 年出品　導演：陶德菲利普斯 Todd Phillips

我只希望我的死亡，

會比我的生命更值錢。

罷患精神病最糟糕的，
是人們期待你表現得好像沒生病一樣。

Happy

January 14 | # 萬花嬉春
Singin' in the Rain

如果我們能為你單調乏味的生活，帶來一點歡樂，就能使我們感到一切的付出沒有枉費。

> 你獲得了榮耀，
> 就必須連痛苦一起承擔，
> 這就是成名的代價。

　　唐和琳娜是默片螢幕情侶，他們的新片被老闆要求改拍成有聲電影，卻因為琳娜嗓音難聽而徹底失敗。唐的女友凱西提議改拍歌舞片，由她來為琳娜配音，結果大受好評，觀眾還要求琳娜現場演唱！凱西躲在幕後，繼續配音，但這次唐有了不一樣的計畫。

● 1952 年出品　導演：史丹利杜寧 Stanley Donen、金凱利 Gene Kelly

Love

January 15 | 剪刀手愛德華
Edward Scissorhands

人們害怕我，是因為我跟他們不一樣。

無論如何，愛德華永遠都是特別的。

不！親愛的。

我現在已經是個老婦人了。

我只願他記得我最初的樣子。

　　住在古堡的愛德華有一雙會劃傷人的剪刀手，卻擁有一顆溫暖純潔的心。他受邀住進平凡人家，發揮天賦，幫鄰居修剪樹木、設計髮型，還愛上來自不同世界的女孩。受歡迎的愛德華，招人嫉妒，被誤解為怪物。如果沒有刀，他就不能保護她。如果有刀，他就不能擁抱她。最終愛德華回到古堡，默默守護著心愛的她……

● 1990 年出品　導演：提姆波頓 Tim Burton

恨是一條死路，誰想成為墳墓？

January 16 | # 教父
The Godfather

> 復仇是一道菜，放冷了再端上來最美味。

> 不要憎恨你的敵人，那會影響你的判斷力。

> 友誼是一切。友誼比能力重要，比政府重要，幾乎跟家庭一樣重要。

> 一個不花時間陪伴家人的男人，永遠不會成為真正的男人。

> 我不喜歡暴力。我是個生意人，血太昂貴了。

維托打造了家族黑幫王國，唯一心願是讓小兒子麥可清白做人。但是一起暗殺事件，卻讓麥可一步步走向父親的道路，甚至更加黑暗。
● 1972 年出品　導演：法蘭西斯柯波拉 Francis Ford Coppola

我會給他一個不能拒絕的提議。

你不能常常對你愛的人說「不」。
如果你必須說「不」，你得讓它聽起來像「好的」，
或者讓他們自己對你說「不」。
你必須花時間，有耐心。

January 17 | 後窗
Rear Window

智慧，就是智慧帶給人類最多麻煩。

你以爲雨能讓一切降溫，
沒想到只是變得更加悶熱潮濕。

人們私下做的很多事情，
都是不可能公開解釋的。

　　攝影記者摔斷腿，被迫在家中休養。無聊的他拿起望遠鏡，窺探周遭鄰居的生活，無意間看到疑似凶案的跡象。在旁人的懷疑下，他展開調查，卻與女友一步步走進凶險。

● 1954 年出品　導演：亞佛烈德希區考克 Alfred Hitchcock

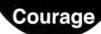

January
18 | # 浩劫重生
Cast Away

在世界的盡頭，他開始了新的旅程。

> 我必須活下去，因為太陽明天一樣升起，
> 誰知道下次海浪將會帶來什麼？

> 我們活著，並隨著時間的流逝而死。
> 所以我們絕對不能犯下忽視時間的罪。

　　快遞員工搭機遇空難，墜入海中。他依靠安全氣囊幸運存活，卻漂流到無人荒島。為了生存，他學會下水捕魚、鑽木取火，唯一的好朋友是一顆排球。四年過去，他決定製作一個木筏，逃離小島。碰巧郵輪經過，終於帶他回家。面對已結婚的前女友，與人事已非的世界，他必須好好思考人生下一步。

● 2000 年出品　導演：勞勃辛密克斯 Robert Zemeckis

Dream

January
19 新天堂樂園
Cinema Paradiso

> 無論你最後做什麼，都要愛它。
> 就像你還是個小屁孩時，
> 愛上電影放映室那樣。

> 你很年輕，世界是你的。
> 我老了，我不想再聽到你談論什麼，
> 我想聽到別人談論你。

> 在這裡一天一天的生活，
> 你會以為這裡是世界的中心。
> 你相信什麼都不會變。
> 接著你離開一年、兩年。
> 當你回來時，一切都變了。

　　破敗的義大利小鎮，失去父親的小男孩多多迷上了電影。他與放映師成為忘年之交。放映師帶他認識電影的世界，陪他經歷戀愛的甜美與失落。兩人情同父子，然而放映師要男孩離開，再也不要回來……
● 1988 年出品　導演：朱塞佩托納多雷 Giuseppe Tornatore

生活不像是電影。

生活困難得多了。

愛情之火燒完後，隨之而來的是灰燼。

就算是最偉大的愛情，最後都會逐漸淡去。

<table>
<tr><td>January
20</td><td>迷魂記
Vertigo</td></tr>
</table>

法律對於沒做的事情，沒有發言權。

只有獨自一人，才算是遊蕩；
兩個人一起，肯定是要去哪個地方。

　　退休警探史考特受老同學委託，跟蹤他行跡古怪的妻子麥德琳。他發現麥德琳買花上墳、逛藝廊又住旅館，都是在追隨自己祖母的蹤跡。老同學認為妻子被祖母附身，因為她對祖母毫無記憶；史考特則認為她幻想自己是祖母，之後會出現自殺傾向……

● 1958 年出品　導演：亞佛烈德希區考克 Alfred Hitchcock

January 21 ｜ 奇愛博士
Dr. Strangelove or: How I Learned to Stop Worrying and Love the Bomb

各位先生，你們不能在這打架！
這可是一間作戰室呢！

　　美國空軍指揮官發了瘋，相信蘇聯在美國人的飲用水裡下毒，導致全國性無能，因此派出轟炸機載著核彈飛往蘇聯。總統派兵奪回空軍基地後，急電所有飛機返航，卻有一架轟炸機因為無線電損壞，收不到訊號，繼續飛往轟炸目標……

● 1964 年出品　導演：史丹利庫柏力克 Stanley Kubrick

January 22 | 北非諜影
Casablanca

> 世界上有那麼多城鎮，城鎮中有那麼多酒館，
> 她偏偏走進我這家。

> 「你昨晚人在哪兒？」
> 「太久之前的事，我記不得了。」
> 「我今晚會見到你嗎？」
> 「我從來不計畫這麼遙遠的事情。」

> 如果飛機起飛了，你沒有跟他一起走，你一定會後悔的。
> 或許不是今天，或許不是明天，
> 但你很快就會後悔，而且餘生都會。

> 「你有時難道不會懷疑這一切是否值得嗎？
> 你所奮鬥的一切？」
> 「你可能還會懷疑我們為什麼要呼吸呢。
> 如果我們停止呼吸，我們就會死。
> 如果我們停止與敵人戰鬥，這世界就會死。」

「別忘了，這把槍正指著你的心臟。」
「那正是我最不脆弱的地方。」

「你是什麼國籍？」
「我是個酒鬼。」
「噢，這讓你成了世界公民！」

「我們的感情該怎麼辦？」
「我們會一直擁有在巴黎的回憶。」

　　瑞克在摩洛哥經營酒館，意外得到兩張通行證，可以前往中立國，脫離納粹魔掌。來了一對夫妻，丈夫是捷克反抗軍首領，妻子卻是瑞克的舊愛。瑞克的抉擇將決定兩段感情的命運，更將決定反抗運動的未來。

● 1942 年出品　導演：麥可柯提茲 Michael Curtiz

January 23 | 電話情殺案
Dial M for Murder

> 在故事裡，事情通常照作者想要的方式進行；
> 在生活裡，通常不會。

**謀殺不會讓人
分期付款。**

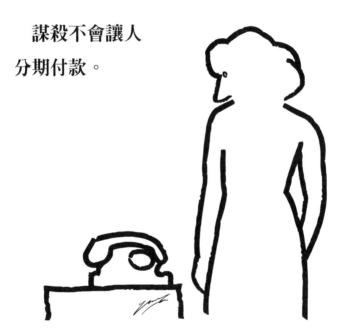

　　東尼發現妻子瑪歌和犯罪小說家馬克外遇，決定謀殺妻子，順便繼承她的財產。東尼威脅利誘同學代為下手，同學卻反被妻子殺死。東尼順勢栽贓她是凶手，盼望司法幫忙處死妻子。馬克運用分析犯罪的長才，主宰整件事的發展。

● 1954 年出品　導演：亞佛烈德希區考克 Alfred Hitchcock

January 24 | 魔球
Moneyball

當你的敵人犯錯，不要打擾他。

我恨輸球，更甚於想贏球。

我付你錢是為了讓你上一壘，
不是為了讓你在二壘出局。

　　面臨中年危機的奧克蘭棒球隊經紀人比利，婚姻失敗，球隊成績也不理想。他說服老闆高價聘請優秀球員遭拒，新助理建議算出勝球率，以數據找出局率低的球員。這支球隊扭轉頹勢，創下 20 連勝的好成績。球賽如人生，看似絕望，只要還沒結束，永遠都還有機會。

● 2011 年出品　導演：班奈特米勒 Bennett Miller

January 25 | 費城
Philadelphia

我最喜歡法律的哪一點？

法律有時，不是經常，

但偶然能為公義盡一份力。

這種時候特別令人振奮。

「法庭內無關膚色、種族、宗教、性傾向，

有的只是公正和公平。」

「恕我直言，庭上。但我們生活在法庭以外的地方。」

這就是歧視的本質：對他人的看法，

不是基於一個人的個別價值，

而是基於他們所在的群體，

這些群體又被標註了怎樣的特質。

安迪是一名出色的律師，在被發現是同性戀並患有愛滋病後，遭上司解雇。為爭取權利與尊嚴，安迪告上法庭。他憑藉過人毅力贏得官司，卻因病況加劇性命垂危。

● 1993 年出品　導演：強納森德米 Jonathan Demme

信仰，是在沒有證據的情況下選擇相信。

January
26 | # 綠野仙蹤
The Wizard of Oz

沒有任何地方比得上自己的家。

「如果你沒有腦的話，你要怎麼講話？」

「我不知道，但是很多沒有腦的人，

說了很多糟糕的話，不是嗎？」

人心不是由你愛別人多少去判斷的，

而是別人對你的愛有多少。

　　被龍捲風吹到奇幻國度的桃樂絲，意外壓死壞巫婆，解救了妖精。為了回家，她出發尋找魔法師。在黃磚路上，她結識想要頭腦的稻草人、想要心臟的錫人，和需要勇氣的獅子，他們互相扶持，經歷一場奇幻冒險。最終在仙女的幫助下，各自完成心願。

● 1939 年出品　導演：維克托弗萊明 Victor Fleming

北西北
North by Northwest

戰爭就是地獄，即使打的是冷戰。

> 在廣告的世界裡，沒有所謂的謊言，
> 只有靈巧的誇飾。

羅傑用餐到一半，突然衝出兩名陌生人，一口咬定他是「凱普林」。此後，羅傑代替凱普林遭遇了種種厄運，包括被綁架、背上殺人罪名、被飛機追殺。他努力找出凱普林本人的蹤跡，每次就要見到，卻每次都撲空⋯⋯

● 1959 年出品　導演：希區考克 Alfred Hitchcock

Happy

January 28 ｜ 飛越杜鵑窩
One Flew Over the Cuckoo's Nest

> 我的天啊，你們這些傢伙什麼也不幹，
>
> 光抱怨有多不能忍受這個地方，
>
> 卻連走出去的膽量都沒有？
>
> 你們把自己想成什麼了，瘋子？
>
> 你們不是！你們不是瘋子！
>
> 你們沒有比街上那些平庸的混蛋更像瘋子！

> 「你有五次因攻擊被捕的紀錄。」
>
> 「跟人打了五次架，對吧？洛基跟人打了四十次，
>
> 還成了個百萬富翁呢！」

> 每一次他把酒瓶舉到嘴前，
>
> 不是他吸乾了酒，
>
> 而是酒吸乾了他。

　　麥克默菲因為勇於挑戰權威，被關進瘋人院。他在院內經歷體制對人的禁錮與摧殘，決心要帶領病友們改變生活。眼前這堵牆又高又厚，人該如何衝撞，才能重獲自由？

● 1975 年出品　導演：米洛斯福曼 Milos Forman

他們說我是個瘋子，就因為我不像個
該死的蔬菜坐在那兒！

youyun.

January 29 ｜ 遠離非洲
Out of Africa

　　道別是一種奇怪的感覺，裡面夾雜了嫉妒的情緒。男人出走是接受考驗、鍛鍊勇氣；女人卻是要磨練面對寂寞的耐性。

　　我喜歡動物。牠們總是全心全意，做什麼都如同第一次：牠們狩獵、進食、交配……

　　凱倫為利益嫁給風流貴族，並隨之到肯亞居住。她在那裡愛上胸懷自由的探險家，兩人在遼闊的非洲草原、野生動物揚起的沙塵、聆聽莫札特的營火間，留下一段刻骨情愛。
● 1985 年出品　導演：薛尼波勒 Sydney Pollack

January
30 | # 驚魂記
Psycho

我們總是最快懷疑那些以誠信聞名的人。

> 如果你愛一個人，就算他對你很壞，
> 你仍然離不開他。

女秘書捲款出逃，來到偏遠的汽車旅館住宿。旅館老闆是個古怪、善良與母親相依為命的年輕男子。母親住在一旁的宅邸足不出戶，卻以異常的精神壓力，控制了兒子的心智，讓他無法對任何女性傾吐愛意。

● 1960 年出品　導演：亞佛烈德希區考克 Alfred Hitchcock

January 31 | 大國民
Citizen Kane

> 他終其一生想要的，只有愛。
> 這是查爾斯肯恩的悲劇。
> 你知道，他就是沒有半點愛可以給人。

> 我認為沒有任何一個詞，
> 可以用來描述一個人的一生。

> 「我沒認識太多人。」
> 「我認識了太多人。我想我們都很孤單。」

> 年老是你唯一不會期望治好的疾病。

　　肯恩自幼被父母出養，成為富商繼承人。他成年後選擇經營蕭條的報業，以勇於調查與說真話的風格，讓社會耳目一新，建立自己的王國，更一度成為最有力的總統候選人。但他為何晚景淒涼？

● 1941 年出品　導演：奧森威爾斯 Orson Welles

人類歷史上最大的詛咒，就是記憶。

February 1 侏羅紀公園
Jurassic Park

生命自會找到出路。

國際遺傳公司發現一顆包裹著上古蚊子的琥珀，他們從中萃取恐龍血液，掌握恐龍基因，藉此復活了各種恐龍。總裁約翰開辦了「侏羅紀公園」，邀請古生物學家亞倫與愛莉、數學家伊恩一行人前往參觀。沒想到，一場全面失控的大災難即將發生。

● 1993 年出品　導演：史蒂芬史匹柏 Steven Spielberg

February 2 | 象人
The Elephant Man

我的人生圓滿了，因為我知道有人愛我。

人們害怕他們不了解的事物。

一切都不會逝去。

水流、風吹、雲湧、心跳，都不會逝去。

　　約翰自幼罹患臉部畸形，被馬戲團買走，取名象人，當作奇珍異獸展示。他受盡歧視與折磨，直到被仁厚的醫生崔維斯發現，被以研究名義帶回醫院，得到良好照顧。約翰第一次體會到人間的溫暖，但是馬戲團班主又回來搶走他，壓著他去各國巡迴。約翰究竟能不能保有尊嚴生活下去？

● 1980 年出品　導演：大衛林區 David Lynch

February 3 | 斷了氣
Breathless

> 睡眠是件悲傷的事，它分隔了人們。
> 就算你們一起睡，你還是孤獨的。

> 沒有必要說謊。
> 這就像打牌，真相總是最好的。
> 其他人還在懷疑你是不是在虛張聲勢，你已經贏了。

> 我們談話時，我談論我的事，你談論你的事，
> 那我們什麼時候才能談論彼此的事？

> 哪一個比較有道德：紅杏出牆的女人，
> 或是離家出走的男人？

> 「你為什麼不肯跟我上床？」
> 「因為我想找出你身上讓我喜歡的地方。」

一名男子在馬賽偷了汽車，情急之下槍殺警員，成為通緝犯。犯下大錯後，他投靠女友。不久警方找上門，她最初矢口否認，最後仍出賣男子。於是在巴黎街頭上演另一場槍殺。

● 1960 年出品　導演：尚盧高達 Jean-Luc Godard

我不知道，是因爲我不自由，所以我不快樂；
還是因爲我不快樂，所以我不自由。

不要踩刹車。

車子是造來奔跑的，不是造來停的！

我告訴你：害怕是最糟糕的罪。

February 4 | 第凡內早餐
Breakfast at Tiffany's

天空更適合仰望，而不是居住。

你該好好感謝任何一個給過你自信的人。

無論你逃去哪裡，
最後總是會遇到你自己。

我永遠不要習慣任何事情。
任何人只要變成那樣，
就等於死了。

　　鄉下女孩逃家到大都市做高級妓女，夢想與富人結婚過上名媛生活。她遇上生活貧苦、靠人包養的鄰居作家，兩人相知相惜，歷經波折後，終成眷屬。

● 1961 年出品　導演：布萊克愛德華 Blake Edwards

February
5

廣島之戀
Hiroshima Mon Amour

有時候，我們需要忽略現世的困難，
否則一切將難以承受。

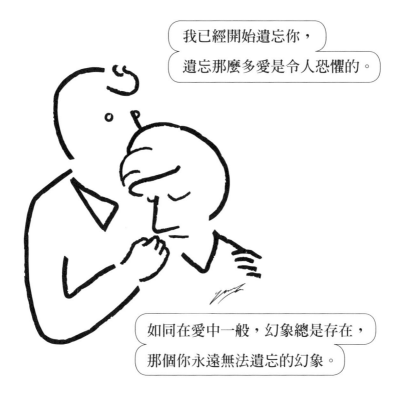

> 我已經開始遺忘你，
> 遺忘那麼多愛是令人恐懼的。

> 如同在愛中一般，幻象總是存在，
> 那個你永遠無法遺忘的幻象。

　　法國女演員到日本廣島拍攝宣揚和平的電影時，邂逅當地的建築工程師，兩人產生忘我戀情。在無盡的對談中，徘徊於記憶與遺忘之間，在有限的時空中，交織出物我兩忘的情感。

● 1959 年出品　導演：亞倫雷奈 Alain Resnais

February 6 ｜ 終極追殺令
Léon: The Professional

「人生一直都這麼難嗎？還是只有小的時候？」

「一直都這麼難。」

「親愛的，你熱愛生命嗎？」

「是的。」

「太好了，如果被我奪去生命的人不在乎生命，

那我一點樂趣也沒有。」

當你眞的開始害怕死亡，你才學會珍惜生命。

你不喜歡貝多芬。你不知道你錯過了什麼！

一旦你復仇成功，就會發現復仇並不是件好事。

　　瑪蒂達在家人身上得不到溫暖，卻在殺手里昂身上得到了。里昂殺人賺錢，無親無故，卻在瑪蒂達身上找到了家的感覺。兩人結伴，感情越加深厚。但是，他們卻將面對生命的威脅……

● 1994 年出品　導演：盧貝松 Luc Besson

「我比那隻該死的豬更像他媽媽！」
「嘿，別那樣說豬。豬通常比人更友善。」

「我已經停止成長了，我只會逐漸變老。」
「我正好相反。我已經夠老了，需要時間成長。」

February
7

靈異第六感
The Sixth Sense

如果你不相信我，你要怎麼幫助我？

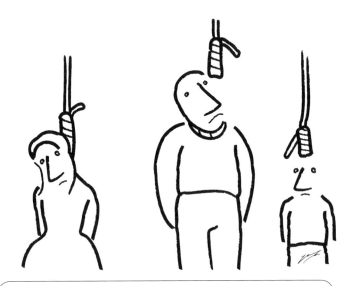

「自由聯想寫作」是指你拿起鉛筆，放在紙上，

然後開始寫。不去看、也不去想你在寫什麼。

寫一陣子後，一些從未意識到的文字與想法會不斷湧現，

可能是你聽見、看見的事物，或是你內心深處的感受。

　　兒童心理學家麥孔幫助許多兒童回到正軌，但也疏於陪伴妻子安娜。一晚，他之前的病患文生闖入家中，開槍擊中他的腹部，隨後自盡。麥孔休養一年，重操舊業，卻遇到了一位與眾不同的男孩柯爾，他與文生有著一樣的症狀：看得見鬼魂。

● 1999 年出品　導演：奈特沙馬蘭 M. Night Shyamalan

February
8

捍衛戰士
Top Gun

你在天上飛時，根本不會有時間思考。

如果你思考，你就死定了。

問題不是你的飛行，而是你的態度。

敵人很危險，但是你更糟。你危險，而且愚蠢。

一個好的飛行員必須被逼著對發生的事做出判斷，

他才能應用所學。

　　一位戰機飛行員獲選加入美國海軍訓練班，放蕩不羈的他與教官相識相戀。在一次任務中不幸墜機，搭檔意外喪生，他陷入低潮。後因出色表現被派遣至印度洋參與救援行動，他突破心防，擊落敵機、救援隊友，成功完成任務。最終擔任教官，成為傳奇人物。
● 1986 年出品　導演：東尼史考特 Tony Scott

February
9 | # 綠色奇蹟
The Green Mile

我夢到了你。

我夢到你在黑暗中徘徊，我也一樣。

但我們找到了彼此，我們在黑暗中找到了彼此。

人們傷害自己愛的人，這是不斷在全世界發生的事。

人不能隱藏自己的內心。

我累了，老大。

厭倦在路上，像隻雨中孤獨的麻雀。

我厭倦總是沒有伙伴同行，沒有人告訴我：

「我們來自何處，要走向何方？為什麼？」

而最令我疲憊的，是人們對待彼此時的醜陋。

　　一個人抱著兩具女孩屍體，在河邊痛哭不已。他被逮捕並審判，送入監獄等待死刑。監獄官員發現，他是個善良老實的人，更具備不可思議的超能力。他真的是凶手嗎？

● 1999 年出品　導演：法蘭克戴拉邦 Frank Darabont

有時候過去就是會追上你，無論你想或不想。

你相信一個人徹底償還他過去所犯的錯誤後，
會回到自己最歡樂的時光，永遠留在那兒嗎？
那會是所謂的天堂嗎？

單車失竊記
Bicycle Thieves

> 我只管自己的事，我從不麻煩任何人，
> 結果我得到什麼？
> 麻煩。

**任何事都有解藥，
死亡除外。**

> 為什麼在窮途末路的時候，
> 還要把自己弄得不開心？

　　二戰後破敗的羅馬街頭上，一個男人好不容易找到貼海報的工作，單車卻在上班第一天遭竊。他與兒子著急的四處尋找，始終一無所獲。最後，男人狠下心來偷別人的單車，卻被抓個正著。

● 1948 年出品　導演：維多里奧狄西嘉 Vittorio De Sica

Happy

February
11 | # 窈窕淑女
My Fair Lady

我自己就可以做到，不用依靠別人。

我擁有自己的靈魂！我擁有自己的神聖火花！

> 窈窕淑女和賣花女孩的差別不在於她的舉止如何，
> 而在於她如何被對待。

　　驕傲的語言學教授和朋友打賭能否將出身寒微的賣花女，訓練成氣質優雅的大家閨秀。賣花女成功變身為窈窕淑女，引來貴族子弟追求。教授獲各方讚賞，卻忽略了賣花女。直到她憤而離開，教授才明白自己的愛意。

● 1964 年出品　導演：喬治庫克 George Cukor

Love

安妮霍爾
Annie Hall

> 當我還是孩子的時候，
> 媽媽帶我去看白雪公主，
> 人人都愛上了白雪公主，
> 我卻偏偏愛上了壞巫婆。

> 「任何一間希望我成為會員的俱樂部，
> 我都不會加入。」
> 這是我與女人的關係，
> 也是我的成人生活最幽默的地方。

> 一段關係就像一隻鯊魚，
> 必須持續的往前游，
> 否則就會死去。

專欄作家與安妮霍爾從相識到相戀，儘管深深吸引著彼此，卻時常因生長背景、價值觀不同而起爭執。他們分手，漸行漸遠，多年後重逢，看到彼此都有新伴侶，不禁回憶起如煙的舊情……

● 1977 年出品　導演：伍迪艾倫 Woody Allen

「這裡好乾淨喔。」
「那是因為人們不丟垃圾，
而是把它們拿去拍成電視劇。」

Hate

February
13 | # 現代啓示錄
Apocalypse Now

在越南戰場上控告一個人謀殺，
就像在印地 500 的賽車場上開人罰單一樣。

> 我醒來後，發現自己一無所有。
> 我對太太幾乎說不出一個字，直到我對離婚說「好」。

> 我們訓練年輕人從天空降下火焰燒人，
> 司令官卻不准他們在飛機上寫「幹」，
> 因為這個字眼猥褻！

韋勒上尉失去家庭與平靜後，奉命重返越南，潛入柬埔寨，刺殺一名失去控制、被當地人奉若神明的殘暴指揮官。韋勒越深入，越體會戰爭對人的摧殘，理解誓言消滅恐怖的正義之士，如何成為恐怖的化身。

● 1979 年出品　導演：法蘭西斯柯波拉 Francis Ford Coppola

February 14 ｜ 雨人
Rain Man

賭場的規則，就是他們不喜歡輸。

「你知道，他是我兒時其中一位想像的朋友。」

「他後來怎麼樣了？」

「沒怎麼樣，只是我長大了。」

　　為追查父親的遺產，查理得知自己有一個患有高功能自閉症的哥哥雷蒙，而雷蒙竟是他的兒時玩伴「雨人」。查理最初想利用雷蒙的數字天才賺錢，但他逐漸發現自己渴求的是家人的愛與付出。相處間，兩人重拾動人的手足情誼。

● 1988 年出品　導演：巴瑞萊文森 Barry Levinson

February 15 | 阿拉伯的勞倫斯
Lawrence of Arabia

> 年輕人製造戰爭，而戰爭的價值：
> 對未來懷抱勇氣與希望，就是年輕人的價值。
> 老年人製造和平，而和平的惡習：
> 懷疑與顧忌，就是老年人的惡習。

> 如果我們在說謊，你就是在說「半謊」。
> 說謊的人像我，只是在隱藏事實。
> 但是一個「說半謊」的人，
> 會忘記哪裡是謊言，哪裡是真實。

> 沒有阿拉伯人會喜歡沙漠。
> 我們喜歡水與綠樹。
> 沙漠裡什麼也沒有，
> 沒有人會需要「什麼也沒有」。

　　一戰後，土耳其人侵略阿拉伯半島，分崩的半島無力抵抗。英國軍官勞倫斯身披白袍、騎乘駱駝，頂著沙塵與烈日，以智勇聯繫部族，率領阿拉伯人群起抗爭，橫越沙漠攻城，換取獨立理想。

● 1962 年出品　導演：大衛連 David Lean

竊賊們可能有榮譽，
但在政客之間一點都沒有。

February 16 | 喜劇之王
The King of Comedy

名字寫越草，名聲越響亮。

> 當一個晚上的國王，
> 比當一輩子的笨蛋好。

　　熱愛喜劇的郵差成天只想當喜劇大師。為了得到機會，他不惜求見喜劇明星，卻多次被拒。他決定孤注一擲，策劃綁架喜劇明星，讓自己能以「喜劇之王」的名義在電視台表演。

● 1982 年出品　導演：馬丁史柯西斯 Martin Scorsese

February 17 | 發條橘子
A Clockwork Orange

暴力只會帶來暴力。

善良是一種選擇。

當一個人不能選擇，他就失去做為一個人的資格。

真有趣，真實世界裡的顏色，

只有顯示在螢幕上時，才會看起來如此真實。

　　亞力士喜歡音樂、牛奶、折磨他人。他帶領一群虐待狂，四處殘害無辜市民。當他把矛頭轉向自己人後，亞力士失去同伴的信任，遭到警方逮捕。然而等待他的不是正義制裁，卻是政府的秘密計畫：以冷酷手段，把罪犯改造成只能行善的工具。

● 1971 年出品　導演：史丹利庫柏力克 Stanley Kubrick

February 18 | 當哈利遇上莎莉
When Harry Met Sally...

> 當你可以跟一個人坐著而不用講話時，
> 那有多美好。

> 這世界上有個人是你應該要嫁的。
> 如果你不先得到他，別人就會搶先一步，
> 那你就得花費一生去了解，
> 別人跟你老公結了婚。

> 沒有男人可以和他覺得有吸引力的女人當朋友。

> 當我買一本新書，我會先讀最後一頁。
> 那是為了避免我在讀完之前死了，
> 我還可以知道結局。

隨興的哈利，碰上不服輸的莎莉，性格南轅北轍的兩人，共乘一輛車前往
紐約。五年後他們在機場偶遇，彼此都有戀人。又過了五年，兩度重逢，
各自聊起逝去的感情，成為好友。一不小心跨越了界線，關係陷入冰點，
他們還能維持這段跨越 12 年的「純友誼」嗎？
● 1989 年出品　導演：羅伯雷納 Rob Reiner

男女不能成為朋友，
除非他們都正在和別人談感情。

我今晚來到這裡，是因為當你發現
想和一個人共度餘生時，
你會希望你的餘生盡快開始。

February 19 | 愛在午夜希臘時
Before Midnight

如果你想要愛，這就是愛。

這是真實的人生，並不完美，但是真實。

> 像是日出、日落，我們出現、我們消失。
> 我們對某些人來說如此重要，
> 但其實我們都只是個過客。

　　不惑之年的夫妻，伴著希臘唯美風光，一同審視過去、現在和未來；重新定義家庭和浪漫，探索真愛意義。現實始終如影隨形，愛的消長糾纏難解。在如畫般的午夜希臘時，愛斬露它的本質。

● 2013 年出品　導演：李察林克雷特 Richard Linklater

February
20 | # 教父2
The Godfather: Part II

> 我恨了你很多年，我想我傷害自己，
> 是為了讓你知道：我傷害得了你。

親近朋友，但要更親近敵人。

　　麥可接掌柯里昂家族後，大肆剷除對手擴展版圖，同時維持與家人的關係。但他的冷酷行徑，把自己帶往相反的結局。

● 1974 年出品　導演：法蘭西斯柯波拉 Francis Ford Coppola

February 21 | 楚門的世界
The Truman Show

「我比你更了解你自己。」

「但是你無法在我的頭腦裡裝攝影機！」

他隨時可以離開。

如果他擁有的不只是模糊的野心，

如果他下定決心要探索真相，

沒有人可以阻止他離開。

我想你真正害怕的是，

當你告訴楚門真相時，

他選擇留在牢籠裡。

「一切都是假的嗎？」

「你是真的。所以觀察你才會這麼有趣。」

　　楚門在海景鎮出生、長大，有穩定的工作、體貼的妻子、善良的鄰居與同事。他每天掛著滿滿的笑容，生活幸福、一無所缺，從來沒有離開過海景鎮。直到某天，天上掉下一盞攝影燈，楚門才開始懷疑自己的世界，是不是一座龐大的攝影棚？

● 1998 年出品　導演：彼得威爾 Peter Weir

我們接受這個世界所呈現的真實。

這世界或許充滿欺騙，
但我們從不缺少心地溫暖的朋友。

February
22 ｜ # 搶救雷恩大兵
Saving Private Ryan

我只知道，每殺一個人，
我就感覺離家更遠。

　　二次大戰的歐洲戰場，一組美軍冒險深入前線，要救回名叫雷恩的士兵。因為他的三個哥哥已全部戰死，政府下令救回他們家最後一名男丁。
● 1998 年　導演：史蒂芬史匹柏 Steven Spielberg

February
23

未來總動員
12 Monkeys

這世上沒有對，
也沒有錯，
只有主流意見。

我們再也沒有生產力了，我們不再製造東西，

一切都自動化了！

那活著要幹嘛？我們成了「消費者」。

購買一堆東西，你就成為好市民。

但如果你不消費，那你就變成了什麼，我問你？

「精神病人」。

　　2035 年，地球遭致命病毒侵襲後，只剩少數人存活於地底。科學家為追查災難原委，讓囚犯柯爾穿越回 1996 年，追蹤僅有的線索：12 猴子軍團。柯爾試圖以一己之力挽救人類命運，同時，反覆預示悲劇的夢境卻不斷糾纏他……

● 1995 年出品　導演：泰瑞吉連 Terry Gilliam

Sad

February
24 | # 生之慾
Ikiru

> 最悲哀的是，
> 人永遠不能理解生命有多美麗，
> 直到他面對死亡。

> 「你從來不放假，對吧？」
> 「對。」
> 「爲什麼？」
> 「我不想讓他們發現，他們沒有我一樣能做好。」

> 我們對人生必須貪婪。
> 人們說貪婪是一種缺點，那是過時的說法。
> 貪婪是一種價值，特別是享受人生時的貪婪。

渡邊是一名公務員，過了一成不變的生活三十年，驚覺自己罹患癌症，只剩半年可活。悲哀的他領出所有積蓄，獨自離家出走，尋找生命的意義。

● 1952 年出品　導演：黑澤明 Akira Kurosawa

我不能承受對人們的恨。

我沒有那種時間。

February 25 | 羅馬假期
Roman Holiday

生命並不總如人意，不是嗎？

要麼旅行，要麼讀書，
身體和靈魂總要有一個在前進的路上。

抬起頭來，公主殿下，否則皇冠會落下。

　　訪問羅馬的公主安娜厭倦繁文縟節，趁夜溜出，遇到想利用她寫報導的記者喬。兩人遊覽羅馬，嬉笑間漸生超越階級的情愫。但公主終得回歸皇室，喬決定不說出故事。一日假期與短暫戀曲，永留兩人回憶中。

● 1953 年出品　導演：威廉惠勒 William Wyler

February 26 | 斷背山
Brokeback Mountain

但願我知道該如何把你戒掉。

> 永遠不會有足夠的時間，
> 時間永遠都不夠。

　　牧場青年與男牛仔在斷背山相遇，他們相知相惜。流言蜚語的壓力下，他們屈服於周遭的保守環境。在將近 20 年的光陰中，兩人從相識、分離、到各自婚娶。

● 2005 年出品　導演：李安 Ang Lee

February
27

教父3
The Godfather Part III

給我贖罪的機會，我就不會再犯罪。

這世界上唯一的財富，是孩子。

敵人總是會在你留下的事物上成長茁壯。

朋友與錢，就像油與水。

「我覺得，我越來越有智慧了。」
「你病得越重，就越有智慧，對吧？」
「到我死的時候，我肯定會變得非常聰明。」

權力耗盡了那些沒有權力的人。

最富有的人，跟最有權勢的朋友們在一起。

　　年邁的麥可為了救贖靈魂，計畫結束黑道事業轉而從善。麥可一邊思考如何經營正當生意，一邊動用手下清除最後幾個仇敵。一場歌劇院的血腥殺戮，麥可愛女遭誤殺，曾坐擁教父輝煌的他墮入無盡悔恨中。
● 1990 年出品　導演：法蘭西斯柯波拉 Francis Ford Coppola

金融是一把槍，
政治就是知道何時開槍。

February 28 | 梅崗城故事
To Kill a Mockingbird

「殺死學舌鳥是種罪惡。」

「爲什麼？」

「因爲學舌鳥除了製造音樂
娛樂我們之外，什麼也沒做。
牠們不會破壞花園，不會在
穀倉築巢，牠們只會爲了我們，
唱出牠們的眞心。」

你永遠不會理解一個人，
直到你從他的觀點去思考事情。
直到你爬進他的皮膚，
在他體內遊走。

這個世界上有許多醜陋的事，
我希望能讓它們全部遠離你，
但那是不可能的。

在阿拉巴馬州的小鎮上，黑人湯姆被指控強姦白人女性梅伊拉，事實卻是伊梅拉引誘湯姆被拒絕，剛好她父親闖入，情急之下誣賴湯姆。律師芬奇信仰正義與平權，挺身爲湯姆打官司，卻飽受鎮民的排擠壓力。

● 1962 年出品　導演：羅伯穆里根 Robert Mulligan

March 1 | 法櫃奇兵
Raiders of the Lost Ark

「你不是我十年前認識的那個男人了。」

「改變我的不是年歲，而是我走過的里程。」

「我們動作快一點。這裡沒有什麼值得害怕的。」

「這就是最讓我害怕的地方。」

考古探險家印第安那瓊斯，受到美國政府委託，尋找失蹤兩千年的約櫃。瓊斯沿途和納粹激烈對抗，因為約櫃若是落入德國人手中，希特勒將掌握強大的神力，全世界的命運將無法逆轉。

● 1981 年出品　導演：史蒂芬史匹柏 Steven Spielberg

Dream

March
2　| # 潛行者
Stalker

> 我的良知希望素食主義贏得世界，
> 我的潛意識卻渴求一塊多汁的肉。
> 我到底想要什麼？

> 柔弱是偉大的，力量則毫無價值。
> 人出生時，是柔弱、有韌性的。
> 死亡時，是強壯、堅硬的。
> 當樹長大時，是柔軟、有韌性的。
> 但是當樹變得乾燥、堅硬，它就死亡了。
> 堅硬與力量是死亡的同伴，
> 柔弱與韌性則是生命的體現。
> 這是為什麼剛硬者無法贏得勝利。

　　隕石墜落的區域有個房間，能滿足進入者的願望，但須由「潛行者」帶路，沿途隨擅闖者心境變化，危險重重。潛行者帶作家與科學家上路，兩人各懷目的，卻在旅途中心生懷疑，漸失信念。

● 1979 年出品　導演：安德烈塔可夫斯基 Andrei Tarkovsky

希望他們懂得嘲笑自己的激情，
因為激情不是靈魂的動力，
只是靈魂與外在世界的摩擦。

人寫作，是因為他受到折磨，是因為他感到懷疑。
他需要不斷的向自己、向別人證明，他是有價值的。

March
3 | # 猜火車
Trainspotting

人格，這就是重點了，
對吧？
　人格就是維持多年
穩定關係的關鍵。

你再也不年輕了，馬克。
世界在改變，音樂在改變，
甚至連毒品都在改變。

　　蘭頓和幾個朋友四處遊蕩，不想工作、只想玩樂，沒錢就去偷東西，煩惱就吸海洛因。經歷失風被逮與毒友的悲劇後，蘭頓決心開啟新生活。然而毒癮與壞朋友不時來糾纏，讓他一再徘徊於救贖與沉淪之間，經歷一段荒謬、糾結與驚險的旅程。

● 1996 年出品　導演：丹尼鮑伊 Danny Boyle

March 4 ｜ 美麗人生
Life Is Beautiful

沒有什麼比不必要的事情更必要的了。

你正在服侍，

但你不是個僕人。

服侍是項崇高的藝術。

神是第一個僕人，

祂服侍人，

但不是人類的僕人。

只要你一提到我的名字，

我就會消失。

我到底是什麼？

是沉默。

　　一個猶太家庭被送進集中營，爸爸為了讓孩子不再害怕，編出一套美麗的謊言，把集中營裡的一切恐怖化為遊戲考驗，告訴孩子：只要忍耐就能得分，得到一千分的人，就能獲得一輛坦克當獎品。

● 1997 年出品　導演：羅貝托貝尼尼 Roberto Benigni

March 5 ｜ 美國心玫瑰情
American Beauty

> 世界上有那麼多美麗的事物，你很難一直生氣下去。

> 記得那些海報說：
> 「今天是你餘生的第一天嗎？」
> 沒錯，這對每一天來說都沒錯，除了你死的那天。

> 除了對自己愚蠢、短暫的人生中，
> 曾經度過的每一片刻，感到由衷的感恩以外，
> 我什麼也感覺不到。

> 「你太太跟別的男人在一起，你卻不在乎？」
> 「對。我們的婚姻不過是場戲，
> 一個昭告天下我們有多正常的廣告，
> 但我們偏偏一點也不正常。」

　　萊斯特看似家庭美滿、工作穩定，其實與妻子貌合神離，和女兒互不諒解，職場也令他窒息。引爆中年危機的導火線，竟從他迷戀上女兒的同學點燃。空洞的人生，就此走向截然不同的方向與結局……
● 1999 年出品　導演：山姆曼德斯 Sam Mendes

她才不是你的朋友，她只是你用來
讓自己覺得好過一點的人罷了。

當你意識到，你還有能力為自己製造驚喜時，
是一件很棒的事。這讓你開始思考，
或許從那些早已遺忘的事物當中，
可以找出一些事來做。

March 6 ｜ 畢業生
The Graduate

「太晚了。」

「對我來說，永遠不會太晚。」

自從我畢業後，我就有這種感覺。

一種蠢動的慾望……像是我正在玩某種遊戲，

而規則對我來說毫無意義。

規則完全是由錯誤的人所制定的，應該說，

沒有人制定規則，是規則把自己制定出來了。

　　畢業派對上，班傑明遇見父親友人羅賓遜的夫人。不敵誘惑，他們展開不倫戀。班傑明失去申請研究所動力，父母為鼓勵他，竟介紹羅賓遜的女兒伊蓮給他。夫人威脅班不能和自己的女兒交往，班仍情不自禁墜入情網。一切曝光後，伊蓮被迫出嫁他人，班大鬧婚禮……

● 1967 年出品　導演：麥克尼可斯 Mike Nichols

March 7 | 彗星美人
All About Eve

這不是謙虛，我只是不想要自欺欺人。

讓全世界的人為了錢去絞盡腦汁吧！
只有朋友才算得上數，而我有一群朋友。

我們都帶著小小的自我、
配上獨特的號角來到這個世界。
除了我們自己，還有誰會為我們吹響它呢？

　　錢寧是百老匯最成功的女星。一天，她遇見了年輕粉絲伊芙。伊芙崇拜錢寧，如願成為錢寧的秘書，卻露出詭詐的面孔，一步步奪走錢寧的一切。伊芙成為新一代女神後，一個年輕粉絲前來表達對她的崇拜……

● 1950 年出品　導演：約瑟夫孟威茲 Joseph L. Mankiewicz

March 8 | 梅爾吉勃遜之**英雄本色**
Braveheart

你的心是自由的，勇敢的去追隨它吧。

我們最後都會死，問題是怎麼個死法，
以及爲何而死？

現在告訴我，作爲貴族的意義是什麼？
你的頭銜讓你有資格坐上我們國家的王位，
但人民追隨的不是頭銜，而是勇氣。

我跟你不一樣，你以爲這個國家的人民，
是爲了提供你的權位而存在。
而我認爲你的權位，
是爲了提供人民自由而存在。
我會爲了確保他們能擁有自由而奮戰。

　　蘇格蘭人在英王暴政下飽受折磨。華勒斯的父兄因抗暴而死，自幼流亡的他，成年後回到家鄉，只想平靜生活。人沒有自由，就算無意反抗，仍會遭受摧殘。華勒斯決定起義，帶領族人爭取自由。

● 1995 年出品　導演：梅爾吉勃遜 Mel Gibson

每個男人都會死，
但不是每個男人都真的活過。

他們能奪取我們的生命，
但他們永遠不能奪走我們的自由！

March 9 ｜ 女人香
Scent of a Woman

世界上有兩種人：
勇於負責的人，
和去找靠山的人。

我們停止觀察的那天，
就是我們死亡的那天。

　　大學生查理應徵了一份在感恩節照顧退役中校法蘭克的工作。法蘭克雙目接近失明，對人生絕望，只想去紐約享受一番，然後自殺。查理發覺法蘭克的厭世，盡其所能陪伴、勸解，一步步燃起法蘭克重生的希望。

● 1992 年出品　導演：馬丁布萊斯特 Martin Brest

March 10 | 時時刻刻
The Hours

你不能藉由逃避人生得到平靜。

> 必須要有人死去，才會讓我們剩下的人更珍視生命。
> 生和死是相對的。

> 這是我們在做的事情。這就是人類在做的事情：
> 他們為了彼此而活著。

　丈夫為讓吳爾芙安心寫作，搬到寧靜小鎮。她精神狀況欠佳，把禁錮生活寫成《戴洛維夫人》。為了讓丈夫自由，她走入水中自殺。讀著《戴洛維夫人》的女子，抑鬱無望，選擇拋夫棄子。兒子長大後對生命有著相似的荒蕪感，選擇結束生命，他稱一直守護他的女人為戴洛維夫人。穿越時空的三個女人，因為一本書彼此連結。

● 2002 年出品　導演：史蒂芬戴爾卓 Stephen Daldry

Happy

March 11 | 大獨裁者
The Great Dictator

交通追求快速，卻把自己困住。

機器帶來富足，卻把我們留在無盡的慾望中。

我們的知識讓我們憤世嫉俗，

我們的聰明讓我們冷酷尖刻。

我們想得太多，感受得太少。

比起機器，我們更需要人性。

比起聰明，我們更需要善良與溫柔。

我們都想要幫助彼此，

這才是人類的本質。

蓄鬍的猶太理髮師，在逃亡過程中，意外被誤認為迫害猶太人的蓄鬍獨裁者，從難民搖身一變，成為號令萬民的領袖。在淚水與笑鬧中，他該怎麼運用這得來不易的權力？

● 1940 年出品　導演：查爾斯卓別林 Charles Chaplin

我們都想憑著他人的快樂，
而不是憑著他人的悲慘而活。

他不笨，他是我爸爸
I Am Sam

March
12

愛，是你所需要的一切。

「爸爸，上帝是故意讓你這樣的嗎？還是不小心的？」

「什麼意思？」

「你不一樣。」

「什麼意思？」

「你和別人的爸爸不一樣。」

「我對不起。對不起。
是的，我對不起。」

「沒關係的，爸爸。
別道歉，我很幸運。
別人的爸爸
從不陪他們去公園。」

「是呀！是呀！我們很幸運。
我們幸運嗎？是呀！」

智商只有七歲的單親爸爸，與聰明體貼的女兒相依為命。女兒準備上小學，被社工介入帶走。爸爸找上律師爭取女兒監護權，法庭上，弱智的父親無法機敏應答，但他用坦白憨直的言語，訴盡父女深情。

● 2001 年出品　導演：潔西尼爾森 Jessie Nelson

March 13 | 四海好傢伙
Goodfellas

我沒生氣，我為你感到驕傲。

你像個男人一樣挺過了第一次追捕，

還學會了人生中最重要的兩件事：

永遠不要背叛你的朋友，該閉嘴時閉嘴。

即將謀殺你的人會帶著微笑，

以關心你人生的摯友身分前來。

他們總是會在你最脆弱、最需要他們幫助的時候現身。

　　亨利、吉米與湯米是美國的黑手黨分子，三人橫行霸道，好不風光。但是湯米一次衝動行事，為自己惹來了凶險，從此改變兄弟們的行事作風。他們的情義與背叛，譜出了最殘酷的黑道人生。

● 1990 年出品　導演：馬丁史柯西斯 Martin Scorsese

March 14 ｜ 美麗境界
A Beautiful Mind

「你怎麼能確定宇宙是無限的」？
「我不能，我只是相信。」
「我想這就跟愛一樣。」

擁有一個美麗的心智或許是好事，
但是去發現一個美麗的心靈，
則是一份更大的天賦。

上帝一定是個畫家，
祂給了我們那麼多顏色去揮灑。

課堂會鈍化你的心靈，摧毀你發揮創造力的機會。

　　奈許是個數學天才，性情孤僻，還有妄想症，生活飽受打擊。幸好室友查爾斯一直在旁陪伴，幫他度過學院生活。任教後，奈許和學生相戀，後來被徵召進入國家情報局，日夜破解密碼。他以為找到了人生的方向，卻發現妄想症從未遠離自己……

● 2001 年出品　導演：朗霍華 Ron Howard

沒有一件事情是確定的，
這是我唯一確定的事情。

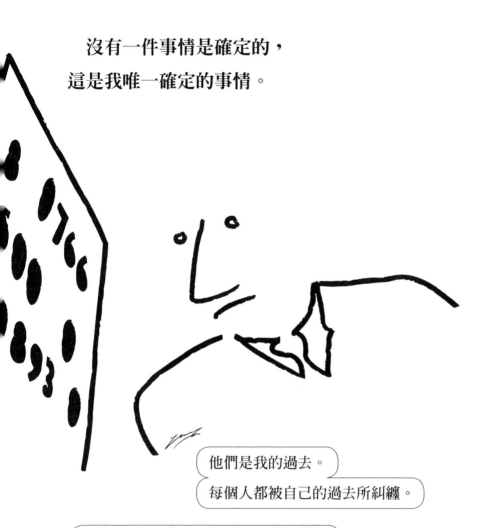

他們是我的過去。

每個人都被自己的過去所糾纏。

想像一下，你忽然發現那些對你來說

最重要的人、地方、時刻，並不是消逝了，

並不是死去了，但更糟，是從來不曾存在過。

那會是怎麼樣的一種地獄？

March 15 | 黃昏雙鏢客
For a Few Dollars More

當生命失去價值，死亡就有價格。

要生或是要死？
這是你自己的選擇。

神槍手莫迪上校為了替妹妹報仇，四處追查逃犯印迪奧的下落。他打聽到印迪奧將前往一間銀行，於是提前埋伏。途中遇見一位不知名的賞金獵人，也要追殺印迪奧。兩人交手後，發現實力相當，進而結為聯盟，準備與印迪奧的犯罪集團決鬥。

● 1965 年出品　導演：塞吉歐李昂尼 Sergio Leone

March
16 | **鄉愁**
Nostalgia

無以言表的感受是最難忘記的。

> 你不自由。你看來非常渴望它，但當你真的獲得它時，
> 卻不知道該怎麼辦，甚至開始質疑：自由到底是什麼？

> 一滴水珠加上另一滴，
> 會變成一滴大水珠，而非兩滴。

　　俄國詩人遠赴義大利為音樂家作傳，卻患上無法排解的鄉愁：情愫、回憶讓他在現實與夢境間遊離。他遇到知道末日來臨的瘋子，了解瘋狂中的真理，隨之在異鄉殉道。

● 1983 年出品　導演：安德烈塔可夫斯基 Andrei Tarkovsky

March
17 | # 羅生門
Rashomon

我們都想忘記事情，所以我們講故事。

一個人的生命，
真的和清晨露水一樣脆弱而短暫。

但是有誰是真正善良的呢？
或許善良不過是人類一廂情願的幻想吧！
人們只想忘記壞事，相信虛構出來的好事，
因為這容易多了。

人類生來就會說謊，
大部分時間我們甚至不能對自己誠實。

　　一個強盜蹂躪武士的妻子後，親手殺死武士。這件令人髮指的案件，卻在強盜、武士妻子與武士的鬼魂口中，出現了截然不同的版本。究竟誰說的才是真相？

● 1950 年出品　導演：黑澤明 Akira Kurosawa

死人說不了謊。

March 18 | 愛在心裡口難開
As Good As It Gets

當你看著一個人夠久，你會發現他的人性。

你知道你什麼地方幸運嗎？

你知道你想跟誰在一起。

真正困擾你的，不是你擁有的東西很糟，

而是那麼多人都擁有很好的東西，這讓你感到憤怒。

　　梅爾文是成功作家，但為人刻薄，歧視同性戀，更患有強迫症，無法與人來往。在餐廳結識單親媽媽卡蘿後，他的心房逐漸打開，體會到愛人的滋味，也開始與他人交流。當同性戀鄰居遭搶劫受傷住院，梅爾文幫忙照顧他的狗，逐步建立友誼。三人彼此扶持，穩固了各自的人生。

● 1997 年出品　導演：詹姆斯布魯克 James L. Brooks

March
19 │ # 亂世兒女
Barry Lyndon

坐在家中舒適的扶手椅上，

夢想一場光榮的戰役，是件非常美好的事。

但是在現場親眼目擊戰爭，可就非常不同了。

一位淑女如果愛上一位穿制服的男子，
一定得做好更換伴侶的心理準備，
否則她的人生會變成一場悲劇。

　英法戰爭時期，愛爾蘭人巴里與上尉決鬥，槍擊後，逃入英軍。戰爭慘烈，他假扮將軍逃出，卻被盟軍識破，只能改加入普軍。他救了主帥，受到重用，又趁機逃到法國開賭場。回到英國後，巴里混進上流社會，和富裕的寡婦結婚。他終於得到爵位，能否如願富貴一生？

● 1975 年出品　導演：史丹利庫柏力克 Stanley Kubrick

Hate

March 20 ｜ 計程車司機
Taxi Driver

> 日子不斷進行，無止無盡。
> 我這輩子所追尋的，不過就是感覺到，
> 有一個目的地在某處等著我。

> 孤單已經跟隨了我一輩子，無所不在。
> 在酒吧裡、汽車上、人行道上、商店裡，所有地方。
> 我無處可逃，我是上帝揀選的孤單之人。

> 所有動物都在夜晚出動，
> 妓女、蕩婦、賭徒、皇后、仙女、
> 藥頭、毒蟲、變態和貪官。
> 有一天，一場真正的大雨會落下，
> 清洗街上所有的惡棍。

　　崔維斯開著計程車，在城市的大街小巷間穿梭。他日夜忍受著孤獨，漸漸將尋找伴侶的挫敗，轉移成對社會的憤恨。他因此成為危險分子，企圖暗殺總統候選人未遂。為了向拒絕自己的女人宣示，他決定攜槍闖入毒窟，救出雛妓。

● 1976 年出品　導演：馬丁史柯西斯 Martin Scorsese

你得到一份工作，你變成了那份工作。

我不認為一個人應該致力於病態的自我關注上，
我相信一個人應該與其他人一樣。

March
21

班傑明的奇幻旅程
The Curious Case of Benjamin Button

回家是一件有趣的事。
看起來一樣，
聞起來一樣，
感覺起來也一樣。
你會發現，改變的是你。

你可以對事態的發展感到憤怒，像是一隻瘋狗般憤怒。
你可以發毒誓，詛咒命運，
但是當生命走到盡頭時，你只能放下。

我們的人生是由機會所定義的，
即使是那些我們錯過的。

　　出生即八十歲的班傑明遭遺棄，後為養老院黑人看護收養照顧。他不斷累積智慧，樣貌卻越趨年輕。老男孩遇見了六歲的黛西，兩人成為知己。中年重逢，相知相戀，步入婚姻。深知自己將越活越小的班傑明，留下財富後告別妻兒。在生命的終點，嬰兒樣貌的他，早已失去往日的甜美記憶，安靜的於老年黛西的懷中離世……

● 2008 年出品　導演：大衛芬奇 David Fincher

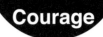
人害怕還能勇敢，才是真勇敢。

March 22 | 回到未來
Back to the Future

如果你全心投入，就可以完成任何事情。

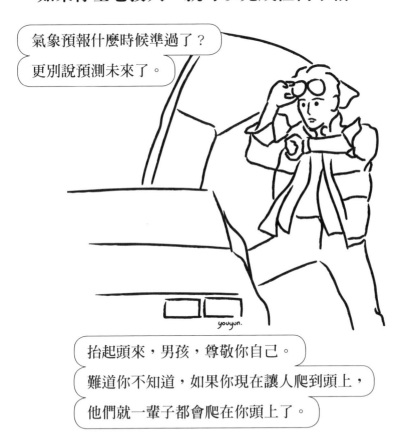

> 氣象預報什麼時候準過了？
> 更別說預測未來了。

> 抬起頭來，男孩，尊敬你自己。
> 難道你不知道，如果你現在讓人爬到頭上，
> 他們就一輩子都會爬在你頭上了。

　　十七歲高中生馬蒂，在陪伴鄰居瘋狂科學家做實驗的過程中，乘時光車回到三十年前，意外介入父親追求母親的過程，不慎讓母親愛上自己。他必須全力修正歷史，才能避免自己與兄弟姊妹們消失。

● 1985 年出品　導演：勞勃辛密克斯 Robert Zemeckis

Dream

March
23 | # 全面啟動
Inception

「爲什麼做夢對你那麼重要？」
「因爲在夢裡……我們仍然在一起。」

「我叫你不要想大象，你想的是什麼？」
「大象。」

什麼是最無孔不入的寄生蟲？細菌？病毒？
腸子裡的蛔蟲？不，是念頭。
一旦某種念頭掌控了腦子，幾乎不可能被根除。

「我知道，爸爸，我知道因爲我不能成爲你，
你對我感到失望。」
「不，不，不。我失望，是因爲你試著要成爲我。」

柯柏是頂尖盜夢者，專門受企業家委託，潛入對手夢中偷竊商業機密。一次失手，迫使他接受一件空前的任務。如果成功，柯柏將擺脫殺妻罪名，與久別的兒女團圓。

● 2010 年出品　導演：克里斯多夫諾蘭 Christopher Nolan

別害怕，你要勇敢，去做大一點的夢。

你是否願意放手一搏，或是變成一個老人，充滿悔恨，等待獨自死去？

做夢時，我們感覺夢境是如此真實。只有當我們醒來，才會意識到其中的怪異。

March 24 ｜ 大都會
Metropolis

頭腦與手需要一個調解人，
在頭腦與手之間的調解人，一定是心！

> 我一定要有相信我的人，
> 否則我要如何完成天命？

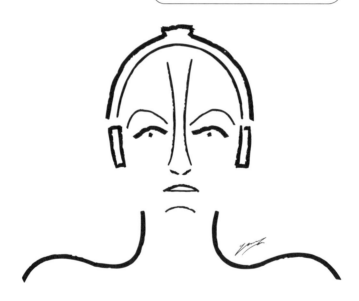

　　2026 年，在一座尖端的大都會裡，人們被分成兩大階級：窮苦的勞動平民與富貴的城市設計者。平民長期飽受壓迫，終於爆發起義。市長的兒子愛上革命領袖──提倡愛與和平的瑪麗亞。市長綁架瑪麗亞，打造出和她同樣外表和內心的機器人，藉此蠱惑群眾，製造鎮壓理由。
● 1927 年出品　導演：弗里茨朗 Fritz Lang

March 25 ｜ 午夜·巴黎
Midnight in Paris

我們都害怕死亡，也對我們在宇宙中的
位置感到疑惑。
藝術家的工作不是向絕望屈服，
而是為存在的虛無找出解方。

　　吉爾是有作家夢的編劇，他跟未婚妻於秋天拜訪巴黎。在午夜的巴黎街頭，吉爾竟穿越到「黃金年代」，遇見許多大作家、詩人、畫家及音樂家等，甚至與畢卡索的謬思女神，發展出跨時空戀情。然而舊時代的美好，只能停留在想像裡……

● 2011 年出品　導演：伍迪艾倫 Woody Allen

Love

| # 愛在黎明破曉時
Before Sunrise

> 為什麼大家都覺得一段關係應該要持續到永遠呢？

> 所有人都在談論科技有多棒，
> 幫他們節省了多少時間。
> 可是如果沒人好好利用時間，
> 省下時間又有什麼好處？

> 我相信如果真的有神，祂不會存在於任何人之中，
> 不會是你或我，而是會存在於你我之間，
> 這個微小的空間中。如果這世上真的有某種魔法，
> 那必定存在於我們彼此分享、試圖互相了解的過程中。

> 你知道經歷分手最糟的是什麼嗎？
> 就是當你發現自己不常想起對方，
> 便領悟到，對方也一樣很少想起你。

傑西與席琳在火車上偶遇，開啓了一段延續一輩子的對話。他們交換彼此對愛情、旅行、生命的體會，越聊越投緣，決定在維也納共遊一夜。黎明前，他們已培養出可貴的愛情。傑西即將返美，他們約定，一年後在同一個地方再見。

● 1995 年出品　導演：李察林克雷特 Richard Linklater

我們在生命中所做的一切，

不都是爲了得到更多一點的愛嗎？

所有事物都如此有限，但是，你不覺得，
這也讓人生中的某些時刻，顯得特別珍貴嗎？

我想如果我能接受這個事實：
我的人生就是如此困難。
你懂得，有了這種預期，我就不會對生活發怒，
好事發生的時候，就會感到無比快樂。

March 27 | 鋼琴教師
The Piano Teacher

到頭來，愛是建立在平庸的事物上。

　　受母親控制的中年鋼琴女教師，長期過著壓抑的生活，對他人冷漠不耐，充滿敵意。年輕且才華洋溢的男學生對她展開熱烈追求，挑動她從未正視的慾望。她因嫉妒傷害了女學生的雙手、操控男學生、違抗媽媽。滿足渴望的情慾後，卻發現一切並非如自己所想……

● 2001 年出品　導演：麥可漢內克 Michael Haneke

March 28 | 神鬼交鋒
Catch Me If You can

有時候，活在謊言中比較容易。

> 兩隻小老鼠掉進一桶牛奶，第一隻很快就放棄，
> 然後淹死了。第二隻不願放棄，拼命掙扎，
> 最後牠把牛奶攪成固態奶油，逃了出來。
> 各位，我就是那第二隻老鼠。

　　法蘭克自幼展現出過人天賦，不是讀書，也非才藝，而是詐欺。他中學時假冒法文老師，上課整整一週。家裡瀕臨破產後，他假扮飛行員、醫生、律師，穿梭於世界各地，甚至結婚騙過妻子全家。FBI幹員拼命追捕他，卻一再被耍。幹員不僅要讓法蘭克接受法律制裁，也想挽回他的人生。

● 2002 年出品　導演：史蒂芬史匹柏 Steven Spielberg

人害怕還能勇敢，才是真勇敢。

March 29 | 末代武士
The Last Samurai

「每個呼吸中都有生命。」

「這就是武士道。」

「你相信人可以改變自己的命運嗎？」

「我認為人要盡其所能，直到命運向他開展。」

大海的空曠中有種撫慰人心的事物，毫無過去，亦無未來。

　　天天以酒澆愁的上尉，受邀為力圖西化的日本政府訓練軍隊，以對抗傳統武士。在一次戰鬥中，他被武士俘虜，因而結識武士首領。他從武士身上認識武士道精神，看見過往的榮耀，深深愛上這套信念……

● 2003 年出品　導演：愛德華茲維克 Edward Zwick

「告訴我他如何死的。」
「我要告訴你他是如何活的。」

無瑕的花是可遇不可求的，
你可能耗盡性命只找到一朵，
但這個過程絕對不是虛耗人生。

Dream

進擊的鼓手
Whiplash

　　我寧願三十四歲死於酒精中毒、破產，
而有人在餐桌邊談起我，也不要富裕、
清醒的活到九十歲，卻沒人記得我是誰。

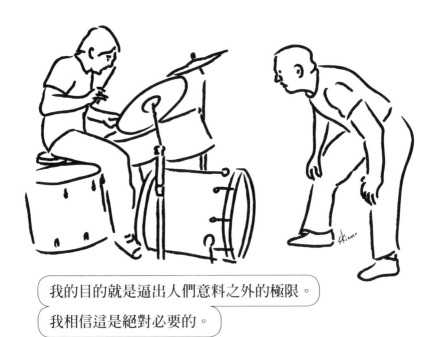

> 我的目的就是逼出人們意料之外的極限。
> 我相信這是絕對必要的。

　　年輕鼓手接受導師的魔鬼訓練，朝著成為偉大鼓手的夢想前進。他面對百般刁難、侮辱，激發出驚人的潛力，為打鼓拋棄愛情、親情，變得執著、偏激，等在他前頭的是夢想，還是成魔？

● 2014 年出品　導演：達米恩查澤雷 Damien Chazelle

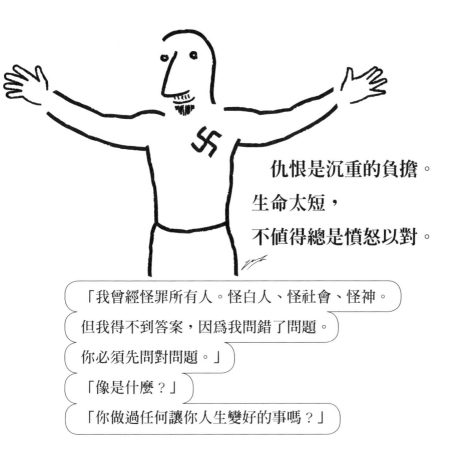

| # 美國 X 檔案
American History X

仇恨是沉重的負擔。

生命太短，

不值得總是憤怒以對。

「我曾經怪罪所有人。怪白人、怪社會、怪神。

但我得不到答案，因為我問錯了問題。

你必須先問對問題。」

「像是什麼？」

「你做過任何讓你人生變好的事嗎？」

　　父親救火時被黑人毒販所殺，男子從此走上種族歧視、迷戀納粹的道路，殘忍殺死偷他車子的黑人。入獄三年間，他與黑人獄友建立起深厚友誼，逐漸消除歧視思想。出獄後他將經歷告訴弟弟，希望改變他的偏激想法，未料弟弟被黑人仇家槍殺，冤冤相報，令人不勝唏噓……

● 1998 年出品　導演：東尼凱 Tony Kaye

April 1 | 春風化雨
Dead Poets Society

不論別人怎麼說，文字與理念的確可以改變世界。

我們讀詩、寫詩，不是因為詩可愛，

而是因為我們是人類的一分子。

而人類的心充滿了激情。

醫藥、法律、商務、工程，

這些都是高貴的追求，

也是維持生命所必需。

然而詩、美麗、浪漫、愛，

這些才是我們活著的目的。

我站在桌子上，是為了提醒自己，

我們看待事物，必須保有不同的視角。

男校的新任文學教師，不認同校內的升學導向，他以新穎、大膽的教學方式，帶領學生體會詩中的生命本質。學生受到啟發，偷偷成立死亡詩社，探討藝術與愛情，追尋心中的夢想。但是，面對傳統價值的高牆，他們要付出多大的代價？

● 1989 年出品　導演：彼得威爾 Peter Weir

真理像是一塊毛毯，永遠讓你的腳
露在外面發寒！

有時候需要大膽，有時候需要小心。
面對不同情境，有智慧的人知道自己該如何應對。

男孩們，你們必須奮力尋找自己的聲音。
因為你等待得越久，就越難找到。
梭羅說：「大部分的人都活在寂靜的絕望中。」
不能就此屈服，衝破它！

所有不完美的事物都需要愛。

April
2
情書
Love Letter

你好嗎？我很好。

那孩子有多幸運，
居然能讓你在他去世後還保持妒意。

　　博子在未婚夫山難去世後，出於哀思寄信到他以前的地址，沒想到竟收到回信。回信的是未婚夫同名同姓的中學同學，她和博子有極相似的樣貌。魚雁往返間，青春故事緩緩揭露，對逝者的追憶貫串塵封往事與今時情思，道出一段淒美愛戀。

● 1995 出品　導演：岩井俊二 Shunji Iwai

Hate

黑天鵝
Black Swan

唯一會在你的道路上阻擋你的，就是你自己。

完美不是只會控制，也包括懂得放手。

　　母親對芭蕾舞者妮娜管教嚴苛，造就她壓抑的性格。舞團總監宣布將為《天鵝湖》選出白天鵝與黑天鵝。妮娜能出演白天鵝，卻不適合黑天鵝。另一名女舞者出現，神秘魅惑，完美符合黑天鵝形象。妮娜被她吸引，又擔心自己被取代。她眼前開始出現詭異幻覺，慢慢侵蝕她的身體與心靈……

● 2010 年出品　導演：戴倫艾洛諾夫斯基 Darren Aronofsky

April 4 | 鬥陣俱樂部
Fight Club

你的工作不能代表你。

你在銀行裡有多少錢也不能代表你。

只有失去一切，我們才能自由的做任何事情。

我們是看著電視長大的一代，相信自己有一天會
成為百萬富翁、電影之神、搖滾巨星。
但是我們不會。我們慢慢才了解到這個事實，
因此變得非常、非常憤怒。

我們是被歷史遺忘的一代，
沒有目標，也沒有容身之處。
我們沒有世界大戰，沒有經濟大蕭條。
我們的大戰是心靈之戰，我們的大蕭條，
就是我們的人生。

夜夜失眠的上班族，偶遇率性的肥皂商，兩人創立地下搏擊社，藉由生存搏鬥，激發人類本能，超越消費文明對人性的桎梏。成員的心靈獲得解放，但是，野心逐漸浮現，一切走向失控……

● 1999 年出品　導演：大衛芬奇 David Fincher

你擁有的東西，最終反過來佔據了你。

辭了你的爛工作，開啓一場戰鬥，證明你還活著。
如果你不親自證實自己的人性，
你終究只會淪爲一組銷售數字。

當你有了失眠症，你從來不是眞的睡著，
也未曾眞正清醒。

April
5 | # 盧安達飯店
Hotel Rwanda

不會有救援，也不會有調停軍隊。
我們只能自己拯救自己。

「當人們看到這麼殘酷的暴行，
怎麼可能不介入？」

「我覺得他們看到這段影片，會說：
『天啊，這太恐怖了！』然後繼續吃晚餐。」

　　盧安達獨立後，國內兩大民族胡圖人與圖西人的爭端越演越烈，經過
三十多年的對抗，演變成胡圖族對圖西族的大屠殺。飯店經理身為胡圖人，
卻冒險收留上千名圖西難民。面對國內的瘋狂與國際的冷漠，決定親自行
動，以無比的道德勇氣保留了人類的尊嚴。

● 2004 年出品　導演：泰瑞喬治 Terry George

April 6 | 舞動人生
Billy Elliot

「你跳舞的時候有什麼感覺？」

「我不知道。感覺不錯。剛開始有點僵硬，

但當我越來越投入，感覺可以忘卻一切。

然後，有種要消失的感覺。

接著，全身開始發生變化，像體內有把火。

我就在那，像鳥一樣飛翔。

像一股電流，沒錯，一股電流。」

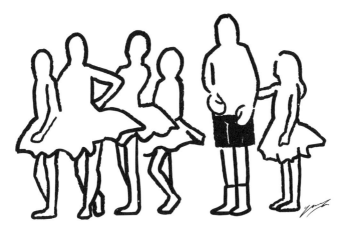

比利出生貧困的礦工家庭，他被女孩們的舞姿吸引，翹掉拳擊社團練習芭蕾。老師看出比利的天賦，鼓勵他報考皇家芭蕾學院。他用對舞蹈的熱愛爭取父親理解，克服貧窮與保守的環境，實現成為舞者的夢想。

● 2000 年出品　導演：史蒂芬戴爾卓 Stephen Daldry

April
7 | # 控制
Gone Girl

> 婚姻的終極問題是：你在想什麼？你感覺如何？
> 我們對彼此做了什麼？我們還會做些什麼？

> 「是的，我曾經愛過你，
> 然後我們做的全是怨恨彼此，
> 試圖要控制彼此。我們造成了對方的痛苦。」
> 「這就是婚姻。」

> 他奪走了我的驕傲、我的尊嚴、我的希望，
> 還有我的錢。他一點一滴的把這些從我身上奪走，
> 直到我不復存在。這是謀殺。

　　暢銷作家艾咪離奇失蹤，逐漸浮現的證據，都指向先生尼克出軌，涉有殺妻重嫌。尼克被迫上電視，向太太示愛、懺悔，並向全國觀眾喊冤。從兩人的回憶中，透露出這段婚姻早已變質，艾咪的失蹤並非意外，而是她精心設計、向先生的復仇。

● 2014 年出品　導演：大衛芬奇 David Fincher

當兩個人彼此相愛，卻不能好好相守時，
那就是真正的悲劇。

「你有聽過『最簡單的答案，通常就是最正確的』
這句話嗎？」
「聽過，但事情從來都不是這樣運作的。」

April
8 | 電子情書
You've Got Mail

兒童時期念一本書，
會成為你的身分認同。
往後你讀的其他作品
都不會有同樣的效果。

像星巴克這樣的地方就是讓沒主見的人

在買一杯咖啡時能作出六種決定。

小杯、大杯、濃淡、含或不含咖啡因、低脂、脫脂。

那些平常不知道自己在幹嘛的人，只要花 2.95 美元，

就能得到不只一杯咖啡，而是自我認同：

大杯、不含咖啡因、卡布奇諾。

　大型連鎖書店在附近展店，獨立兒童書店的女老闆面臨危機。她與連鎖書店大老闆總是狹路相逢。互看不順眼的兩人，因緣巧合下展開網路戀情，決定見面。現實中的死對頭，該如何面對互有好感的神秘網友？

● 1998 年出品　導演：諾拉艾芙倫 Nora Ephron

April 9 | 布拉格的春天
The Unbearable Lightness of Being

我知道我應該幫你，但我無能為力。
我無法支持你，甚至還會成為你的負擔。
生命對我來說太沉重，對你來說卻是那麼輕盈，
我承擔不起這份輕盈、這份自由……我不夠堅強。

> 你完全是媚俗的反義詞，在媚俗的王國中，
> 你會是一頭野獸。

　　布拉格的一名醫生周旋於女性之間，享受自由的性關係，不為任何人停留。他遇見一名純真女子，與她展開名不符實的單一伴侶關係。直到 1968 年布拉格之春爆發，蘇聯鎮壓布拉格，兩人在亂世中締結終身。

● 1988 年出品　導演：菲利普考夫曼 Philip Kaufman

April
10 | # 刺激驚爆點
The Usual Suspects

> 你以謀殺罪嫌逮捕三個人，
> 把他們全關進牢裡過夜。
> 隔天，那個睡得著的人就是凶手。

> 他們把我當罪犯對待，我最後就會變成罪犯。

> 魔鬼變過最偉大的戲法，是說服全世界牠不存在。
> 像這樣吹口氣……牠就不見了。

> 這傢伙太緊張了，緊張可是個殺手。

> 一個人如果沒有手下，就不會被背叛。

　　五名罪犯同時被逮捕，不久後釋放。這場意外的巧合，讓他們組成團隊，展開一連串犯罪。他們一步步踏入魔鬼的陷阱，而唯一的逃生之道，是為魔鬼本人賣命。

● 1995 年出品　導演：布萊恩辛格 Bryan Singer

你怎麼敢在魔鬼背後開槍？
如果沒射中的話怎麼辦？

April 11 王者之聲：宣戰時刻
The King's Speech

「長時間的停頓是好的，能夠爲重大場合加入莊嚴氛圍。」

「那我是有史以來最莊嚴的國王了。」

> 「他們是白癡。」
>
> 「他們全都有被冊封。」
>
> 「那他們就是官方認定的白癡。」

　　從小患有嚴重口吃的約克公爵，被父親要求在博覽會閉幕典禮演講，卻在上千位民眾前說不出話。他請來語言治療師改善狀況，刻苦練習。繼位為喬治六世後，在對德宣戰的聖誕廣播中，以激勵人心的演講，呼籲全英國人民團結，一起度過艱難時刻。

● 2010 年出品　導演：湯姆霍伯 Tom Hooper

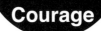

April
12 | # 黃昏三鏢客
The Good, the Bad and the Ugly

當你必須射擊，就射擊。不要說話。

一個好人、一個壞人、一個小人，為了挖出政府藏在墳墓裡的黃金，被迫互相合作，同時彼此提防。亦敵亦友的同盟關係，最終要走向生死對決。

● 1966 年出品　導演：塞吉歐李昂尼 Sergio Leone

April 13 ｜ 少年 Pi 的奇幻漂流
Life of Pi

> 懷疑很有用，它能讓信仰維持生機。
> 畢竟，未經試煉，你不會知道自己的信仰有多堅強。

> 我猜到頭來，整個人生會變成一趟放手的過程。
> 但最令人痛心的，是沒有機會說再見。

> 我寧願你相信我所不認同的事情，
> 也不願意你盲目的接受所有事情。

> 在生命裡正確的總結事情是很重要的。
> 唯有如此，你才能放手。
> 否則，你會與那些應該說、
> 卻沒說出口的話一起被留下，
> 心會因後悔而變得沉重不堪。

Pi 一家人因為政變決定移民加拿大，他們關閉原本經營的動物園，搭上一艘貨船，卻發生船難。只有 Pi 獲救，他與孟加拉虎展開一場海上漂流求生之旅。

● 2012 年出品　導演：李安 Ang Lee

科學可以教導我們外面有什麼，
但不能告訴我們心裡面有什麼。

如果我們每一個經歷，
都帶領我們在人生的旅程上走得更遠，
那我們就活出了生命的真諦。

April
14

賭國風雲
Casino

賭場的基本原則，就是要讓賭客不停的玩，
讓他們不斷回來。他們玩得越久，
輸得就越多，到最後，我們就會贏走一切。

當你愛一個人，就應該信任他，沒有別的方法。
你必須把你的每一把鑰匙交給他，
否則，又有什麼意義？

　　山姆是賭博預測員，運用專業為黑幫賭場賺取兩倍利潤。老大派來保護
他的兒時玩伴，因為反覆無常的脾氣，為賭場帶來危機。山姆結識行騙各
大賭場的妓女，墜入愛河，更大的厄運接踵而來。

● 1995 年出品　導演：馬丁史柯西斯 Martin Scorsese

April 15 新娘百分百
Notting Hill

「我住諾丁山丘，你住比佛利山丘，
全世界的人都知道你是誰，我媽連我的名字
都記不起來。」
「我也只是個平凡女孩，站在男孩面前，
向他求愛。」

「我可以再待一下嗎？」
「你可以永遠待著。」

電影女星走進一間生意慘澹的書店，遇見開書店的男子，意外展開戀情。
對男子來說，女星太過夢幻；對女星來說，金錢虛名是妨礙她尋找真愛的
枷鎖。現實考驗著兩個來自不同世界的人，他們能否走上相同的道路？
● 1999 年出品　導演：羅傑米歇爾 Roger Michell

Love

April
16 | # 寂寞拍賣師
The Best Offer

「如果我是你，就不會這麼篤定。

人類的情感就像藝術品，全部都可以假造。

情感看似是真品，卻是虛假的贗品。」

「贗品？」

「所有事情都可以假造，喜悅、痛苦、憎恨、

病痛、治癒……甚至愛情。」

「與女人共同生活是什麼感覺？」

「就像參加拍賣會，

你永遠不知道自己的出價是否最高。」

「這幅畫是贗品。」

「怎麼可能？這幅畫很美！」

「我沒有說它醜，我只說它不是真品。」

　　生活孤僻的拍賣師接下專案，為收藏在大宅的藝術品估價。宅邸女主人足不出戶，性格古怪，引起拍賣師的同情與好奇。他長年的慾望因為這名女子一觸即發，不惜一切代價都要將她納為收藏。

● 2013 年出品　導演：朱塞佩托納多雷 Giuseppe Tornatore

贋品背後總是藏有眞實的事物。

當僞造者在複製他人作品時，
會不由自主的將自己的一部分放入作品中，
通常只是個枝微末節、毫無意義的細節。

April 17 | 激情年代
The Crucible

「先生，我是無辜的。
我不知道任何關於
女巫的事。」
「如果你不知道女巫的事，
你怎能確定自己不是呢？」

地獄與天堂在我們背上纏鬥，
剝除我們過往的偽善。
上帝的冷風將吹起。

　　17 世紀末美國的清教徒村，一群女孩被指控為女巫。女孩撒謊、藉宗教之名波及無辜，事件越演越烈，有人枉死，有人為求自保陷害至親。只有被控外遇、與魔鬼交易的約翰，在尊嚴與所愛間掙扎，唱響正義之聲，卻喚不醒迷狂的眾人。

● 1996 年出品　導演：尼可拉斯海納 Nicholas Hytner

April 18 | 隔離島
Shutter Island

像個禽獸渾沌的活著，
還是以好人的姿態，
清醒的死去，
哪個比較慘呢？

神智正常不是一種選擇。

能不能康復不是你說了算。

這是場遊戲，一切都是為你打造的。

你不是在調查任何事情，

你只是一隻困在迷宮裡的可悲老鼠。

　　泰迪與查克來到關押精神失常重刑犯的海外監獄：隔離島，負責追查一名憑空消失的犯人。泰迪不顧一切搜索全島，死去妻子的鬼魂卻不斷現身。他在回憶、幻覺，與島上的陰謀間掙扎，發現事情遠比他想像的複雜……

● 2010 年出品　導演：馬丁史柯西斯 Martin Scorsese

April 19 ｜ 桂河大橋
The Bridge on the River Kwai

> 不要跟我說規則，這是戰爭！
> 不是什麼板球比賽！

> 你給我藥粉、藥丸，幫我洗澡、打針、灌腸，
> 可是我唯一需要的只有愛。

> 你們被打敗了，但是毫無羞恥。
> 你們頑固不靈，但是毫無自尊。
> 你們一味忍受，但是毫無勇氣。

　　英軍上校尼克森在泰國被日軍俘虜，關押在集中營，一同被關的還有美軍指揮官希爾斯。他們奉命修築桂河大橋，希爾斯提議逃亡，尼克森選擇留下，與日軍據理力爭。經過罷工與談判，尼克森同意指揮部下，為日軍修築大橋。希爾斯成功逃離桂河，之後與英軍歸來，目標是炸毀英軍修建的大橋。

● 1957 年出品　導演：大衛連 David Lean

沒有法律，就不會有文明。

April 20 | 芝加哥
Chicago

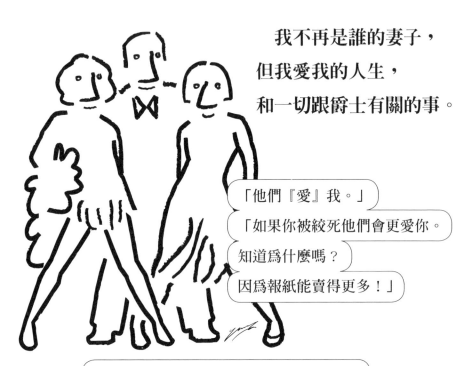

**我不再是誰的妻子，
但我愛我的人生，
和一切跟爵士有關的事。**

「他們『愛』我。」

「如果你被絞死他們會更愛你。
知道為什麼嗎？
因為報紙能賣得更多！」

我是明星，觀眾們愛我……我也愛他們。

他們因為我愛他們而愛我，我也因此愛他們。

我們相愛，是因為我們在童年都沒有獲得足夠的愛。

這就是演藝圈，孩子。

　　夜總會舞女槍殺丈夫後鋃鐺入獄，遇見同樣犯下謀殺罪的舞廳歌星，她從未放棄重回舞台。她們靠名律師煽動媒體、塑造可憐形象，在犯罪、虛浮、敗德的芝加哥舞台上大放異彩。

● 2002 年出品　導演：勞勃馬歇爾 Rob Marshall

April
21 | # 霸王別姬
Farewell My Concubine

不瘋魔，不成活。

> 要想人前顯貴，必定人後受罪。

> 縱有萬般能耐，終也敵不過天命。

　　程蝶衣幼時被賣入戲班，精攻旦角成為名伶，卻走火入魔，分不清現實與劇中，假戲真做戀上師兄。歷經文革時代巨變，浮世群生在愛恨交錯間走往末路，11 年後再演那齣《霸王別姬》，自訴恰如劇中人的悲劇宿命。

● 1993 年出品　導演：陳凱歌 Kaige Chen

April 22 | 歡迎來到布達佩斯大飯店
The Grand Budapest Hotel

> 坦白說，我認為他的世界早在他步入之前，
> 就已經消失了。
> 但我會說，他極為優雅的維持了那個世界的表象。

> 人們因為害怕得不到自己想要的，
> 就會以粗魯的方式表達恐懼。
> 其實那些最可怕、最不受歡迎的人，
> 只要被愛，就會如花朵般綻放。

> 當你認清自己處在這種環境，
> 你一定不能活得像個膽小鬼。
> 從第一天開始，就必須證明自己。
> 你必須贏得他們的尊重。

　　布達佩斯大飯店的經理，交友廣闊、受人喜愛。D夫人死前把一幅無價的名畫留給他，引起了兒子的憤恨，誣賴他是殺母凶手。經理和門僮帶著名畫出逃，靠著平日累積的信譽與情義，不斷擺脫警察與殺手的糾纏，反映出時代的光輝人性。

● 2014 年出品　導演：魏斯安德森 Wes Anderson

當一筆巨額財產的命運不明時，
人類的貪婪會像毒藥一樣在血管裡擴散。

就算在這座曾經被稱爲「人性」的野蠻屠宰場裡，
文明的微光依然存在。

一旦大眾知道你是個作家，
他們會把角色與事件帶來給你。
只要你維持觀看與傾聽的能力，
這些故事就會延續……

April 23 │ 羅馬
Roma

群山很老，但它們仍然翠綠。

> 我們是孤獨的。
>
> 無論男人告訴你什麼，
>
> 我們女人總是孤獨的。

　　七零年代墨西哥城的羅馬區，來自中下階層女子懷孕後遭男友拋棄；擁有四個孩子的中產階級母親，也為丈夫所拋棄。女子成為這家人的保母，照顧孩子的生活起居。歷經大屠殺、火災、政治動盪、孩子溺水，他們不知不覺成為生命共同體。

● 2018 年出品　導演：艾方索克朗 Alfonso Cuarón

April 24 | 天國與地獄
High and Low

成功不值得讓你失去人性。

> 我寧願得知殘酷的事實，
> 也不要聽取善意的謊言。

> 「我們為何互相仇恨？」
> 「我不知道，我沒興趣做自我分析。
> 我只知道，我的房間冬天冷、夏天熱，讓人無法入睡；
> 你的房子看起來卻像天堂，高高豎立在那兒。
> 這是我開始恨你的原因。」

權藤是有為的鞋廠高層，不滿派系內耗，決定傾家蕩產，奪下公司大權。司機的兒子進一被誤認為權藤之子遭綁架，權藤如果不代付贖金，進一就會因他而死；如果付錢，畢生心血將會泡湯。

● 1963 年出品　導演：黑澤明 Akira Kurosawa

165

Wisdom

April
25 | # 紐倫堡大審
Judgment at Nuremberg

我們曾經擁有過民主，

但卻被一些內部因素所撕裂。

最主要的就是恐懼。

對今天的恐懼、對明天的恐懼、對鄰國的恐懼，

還有對自身的恐懼。

唯有了解這些，你才能理解希特勒對我們的意義。

說出真相並不容易，

但如果要德國獲得任何救贖，

我們這些知道自己罪孽的人，

必須承認這一切，

無論會有多痛苦、多羞辱。

　　二次大戰後的德國紐倫堡，軍事法庭在盟軍主持下召開。四位德國法官和檢察官，因參與納粹的反人類罪行而被審判。審判長為了理解德國戰犯為何對屠殺暴行視而不見，深入探訪加害者與家屬，對良知與服從的激烈辯證隨之展開。

● 1961 年出品　導演：史坦利克萊瑪 Stanley Kramer

符合邏輯並不代表就是正確的。

這場審判揭示，當置身國家危機的壓力時，

人，甚至是最傑出的人，

都會自欺欺人，投身犯罪行動，

參與令人髮指、超乎想像的重大暴行。

國家不是一塊石頭，也不是一個人自我的延伸。

國家是它的堅持，是即便困難也願意捍衛的價值觀。

April
26

來自硫磺島的信
Letters from Iwo Jima

記住我告訴你的：
要一直做對的事，因為那是對的。

如果我們的子孫能安全的多活一天，
那就值得我們在這島上多戰鬥一天。

「你真是個了不起的軍人！」
「沒有，我只是個麵包師傅。」

　　二戰時日美在硫磺島對戰，焦土戰場兩軍死傷無數。士兵一邊以戰略殺敵謀求勝利，一邊暗中期盼結束返家。一封封寄回家的訣別信，記錄下孤立無援的死亡，及士兵們的奮勇與悲憤。

● 2006 年出品　導演：克林伊斯威特 Clint Eastwood

168

April 27 | 羊男的迷宮
Pan's Labyrinth

你越來越老了，你會發現人生不像是童話。
這世界是一個殘酷的地方，即便很痛苦，
你還是會理解的。

「你本來可以服從我！」

「可是隊長，為了服從而服從，完全沒有質疑反思，
這是像你這種人才會做的事。」

奧菲莉亞隨母親改嫁，住進了繼父家中。繼父是國民軍上尉，為專制政權清洗百姓。奧菲莉亞每天活在恐懼中，幸好她在迷宮裡遇見羊男。羊男告訴奧菲莉亞，她是地底王國的公主，完成三個任務就能回家⋯⋯

● 2006 年出品　導演：吉勒莫戴托羅 Guillermo del Toro

April 28 | 帝國毀滅
Downfall

在像這樣的戰爭中，沒有平民。

生命從來不會原諒軟弱。

所謂的人性……

不過是教士的胡說八道。

憐憫是原罪，對於弱者的憐憫，

是對本性的背叛。

「一個好士兵，總會找到東西吃。」

「沒錯。那麼當戰鬥開始時，

他會從誰那裡搶食物呢？

就是平民百姓！」

　　榮格是希特勒最後一任秘書，他在地下碉堡內，親身經歷柏林陷落前的恐懼，目睹希特勒人生的最後 10 天。窮途末路的元首，在戰敗邊緣展現瘋狂、憤怒與絕望，標誌了納粹帝國的崩潰。

● 2004 年出品　導演：奧利佛希斯比格爾 Oliver Hirschbiegel

在我專斷獨裁的時候，我總是會犯錯。

April 29 航站情緣
The Terminal

「我必須離開。」

「我必須留下來。」

「這是我的人生故事。」

「也是我的。」

有時你會釣到一條小魚。

你非常小心的鬆開，把牠放回水中，讓牠自由，

這是為了讓其他人也享受抓牠的樂趣。

　　因戰爭失去克羅埃西亞國籍的男子，無法入境也無法出境，被迫滯留於紐約甘迺迪機場。他於機場打工、公廁洗澡、廢棄大廳睡覺，被高層視為毒瘤。他躲過逮捕危機，熱心助人，結交許多好友。戰爭結束後，在大家的幫助下，他終於踏進紐約，完成父親遺願。

● 2004 年出品　導演：史蒂芬史匹柏 Steven Spielberg

April
30 | 綠光
Le Rayon Vert

我不頑固，是生命對我頑固。

我一無所有，如果我有什麼可以展示的東西，
別人會看得出來。因爲那就是我的全部了！

　　總是與他人格格不入的女子選擇寧缺勿濫。盛夏之中，她被伴侶拋棄，
決定獨自閒逛，卻無任何邂逅。她偶然聽見有人討論《綠光》這本小說，
開始深信屬於自己的幸福綠光必會出現……
● 1986 年出品　導演：艾力侯麥 Éric Rohmer

May
1

賓漢
Ben-Hur

你可以打破一個人的頭骨，你可以逮捕他，
你可以把他關進地牢。可是……
你要怎麼挑戰一個理念？

你的眼神充滿仇恨，這是好事。
仇恨會讓人活下去，給人帶來力量。

巴爾塔薩是個好人，
但是直到每個人都像他一樣好之前，
我們必須擦亮自己的劍！

羅馬帝國時期，賓漢是猶太貴族，因為一次意外，受到兒時玩伴馬生拉的迫害，被流放去做戰船划槳手。一次海戰中，賓漢拯救了執政官，被赦免勞役，還被收為義子。新生的賓漢回鄉尋找家人，參加戰馬車大賽，向馬生拉復仇。

● 1959 年出品　導演：威廉惠勒 William Wyler

你曾問過我，要怎麼挑戰一個理念？

我現在告訴你：用另一個理念跟它戰鬥！

May 2 | 關鍵報告
Minority Report

有時候，為了看見光，我們必須涉入黑暗。

很有趣，每個活著的有機體都很像，
當天塌下來時，當面臨重大壓力時，
地球上的每一個生物都只對一件事情有興趣：
自己的生存。

　　政府發明一套完美系統，由三名先知在壞人犯下罪行前，預知犯罪資訊，先行逮捕犯人。一天，負責緝拿的幹員，發現系統顯示的殺人犯居然是自己，便展開逃亡。調查過程中，意外發現系統的漏洞與背後勢力。他必須找出一份「關鍵報告」，證明自身清白。

● 2002 年出品　導演：史蒂芬史匹柏 Steven Spielberg

May 3 ｜ 虎豹小霸王
Butch Cassidy and the Sundance Kid

我不是瘋狂，我只是活得多采多姿。

小子，我有遠見，而世界上的其他人都戴著眼鏡。

「那座老銀行發生了什麼事？它以前很漂亮啊。」

「一直有人進去搶劫。」

「這就是美麗的小代價。」

兩名西部小鎮搶匪，搶劫運鈔車後遭警方通緝，逃亡異鄉。原想金盆洗手，遇事後又重操舊業。暴露身分的他們被重重包圍，決定放手一搏，殺出一條血路。

● 1969 年出品　導演：喬治羅伊希爾 George Roy Hill

May
4 | # 她們
Little Women

> 女人有思想、有靈魂，不單單只有感情；
> 她們擁有志向，深具才華，不單單只是漂亮。
> 我厭倦別人說，女人只適合談情說愛。

> 「你愛他嗎？」
> 「我更在意能被愛，我想要被愛。」
> 「這跟愛人不一樣。」

> 我寧願當一個自由自在的獨身主義者，
> 划著我自己的獨木舟。

> 我或許不是永遠正確，但我從來沒有錯過。

　　溫柔的大姊瑪格、聰慧的二姊喬、內斂的三姊貝絲及堅毅的小妹艾咪，性格迥異的四姊妹，童年生活充滿書本、音樂與遊戲。長大後，面對各種考驗與情感衝突，她們互相扶持，勇敢追求夢想、愛情與事業，各自走上不同的道路，成為令自己驕傲的女性。

● 2019 年出品　導演：葛莉塔潔薇 Greta Gerwig

愛是我們死去時唯一能帶走的東西，
它能使死亡變得如此從容。

May 5 | 克里斯汀貝爾之**黑暗時刻**
The Machinist

一個小小的愧疚，
就要走很長的路。

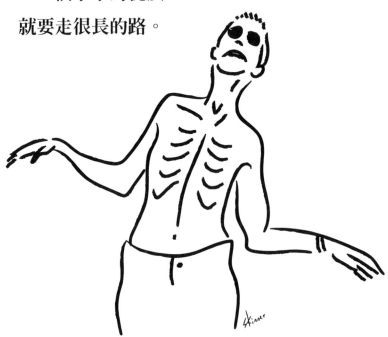

如果你根本沒有睡著，又如何從噩夢中醒來？

　　骨瘦如柴的工廠機械師因壓力過大，長期失眠精神恍惚。高大的男子現身，他不慎分心害工友失去了手臂。家中冰箱上出現詭異紙條、消失的知己與她的孩子、沒有人看過那位高大男人⋯⋯怪事接連發生。機械師發現這些幻覺都與他內心不願面對的黑暗有關。

● 2004 年出品　導演：布雷安德森 Brad Anderson

May 6 | 穿著 Prada 的惡魔
The Devil Wears Prada

放棄不意味你很軟弱，而是懂得放手。

等你私生活全毀的時候記得告訴我，這表示你要升官了。

只因為你覺得不重要，不代表你可以不盡全力。

　樸素的新鮮人進入時尚雜誌出版社，擔任女強人老闆的助理。這名從頭到腳全是名牌的女士，將為她帶來最殘酷的考驗，讓她認知成功是一連串犧牲換來的。

● 2006 年出品　導演：大衛法蘭科 David Frankel

Love

May 7 | 亂世佳人
Gone with the Wind

你就像一個小偷，

一點都不對自己偷了東西感到抱歉，

卻對自己要被關進監獄感到非常遺憾。

我不能現在就想這件事，否則我會發瘋。

我明天再想。

世上大部分的悲慘都來自戰爭。

然而當戰爭結束後，就沒有人知道戰爭是怎麼回事了。

不，我不覺得我會吻你，儘管你非常需要親吻。

這就是你的問題所在。

你應該常常被親，而且是被懂得親吻的人親。

　　南北戰爭前，郝思嘉愛上了衛希禮，但他早與韓美蘭訂婚。訂婚餐會上，郝思嘉認識了白瑞德。當晚戰爭爆發，男人紛紛入伍離家，郝思嘉草率嫁給查爾斯，不久後守寡。她在一場舞會上，再次見到白瑞德，兩人共舞，開啟了一段戰火中的兒女之情。

● 1939 年出品　導演：維克托佛萊明 Victor Fleming

家，我會回家。

我會想辦法讓他回來。

畢竟，明天又是全新的一天！

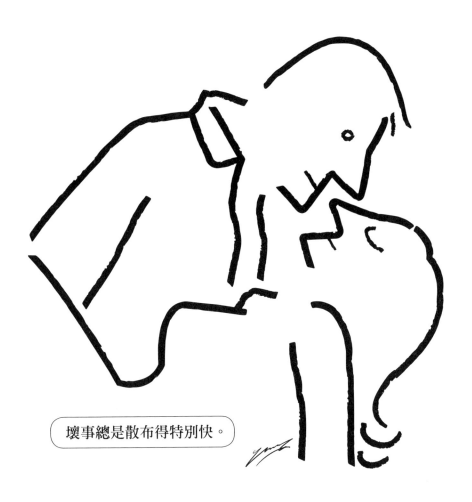

壞事總是散布得特別快。

183

May 8 | 唐人街
Chinatown

「你一個人嗎？」

「誰不是呢？」

「當你已經負擔不起時，你還能買到什麼？」

「未來。」

傑克是位私家偵探，受到自稱愛芙林穆瑞的女性請託，調查她先生荷利斯穆瑞的情婦。傑克成功掌握證據後，另一位愛芙琳卻出現，指控他冒名調查，要提出告訴。傑克只好到處尋找荷利斯本人，釐清誰才是正牌妻子，卻沒想到墜入了更複雜的陰謀中。

● 1974 年出品　導演：羅曼波蘭斯基 Roman Polanski

May 9 | 天才雷普利
The Talented Mr. Ripley

**我一直覺得，當一個假的大人物
比當一個真的小人物好。**

> 不管你做了什麼，不管有多恐怖、多傷害人，
> 在你腦中全都有道理，不是嗎？
> 你從來沒有認識誰會覺得自己是壞人的。

窮小子雷普利擁有模仿、偽造能力，以詐騙為生。富商聘請他到義大利勸兒子迪基回家，他卻迷戀上迪基及其風流生活。求愛不成，加上迪基的冷漠以對，雷普利一氣之下殺了他，將屍體丟進大海。他冒充迪基，過著一人分飾兩角的奢華生活，任憑謊言越滾越大……

● 1999 年出品　導演：安東尼明格拉 Anthony Minghella

人害怕還能勇敢，才是真勇敢。

May 10 | 疤面煞星
Scarface

> 你們全是一群渾蛋，知道為什麼嗎？
> 你們沒有膽量去成為自己想成為的人！

> 你們需要像我這樣的人，
> 讓你們有對象指著說：「那就是壞人！」
> 這讓你們成為好人了嗎？
> 你們才不是好人，
> 你們只是懂得隱藏，懂得說謊。

> 在這個世界上，
> 唯一可以發號施令的，
> 是人的膽識。

　　政治難民潮中，東尼從古巴被遣送到美國邁阿密，開始了南灘的黑幫生涯。從跑腿販毒到自立門戶，東尼憑著過人的膽識與說到做到的信用，迅速建立勢力和威望。然而他的感情與原則，卻為自己蒙上了陰影。
● 1983 年出品　導演：布萊恩狄帕瑪 Brian De Palma

我永遠只說眞話，就連我說謊時也一樣。

May 11 | 放牛班的春天
The Chorus

別說不可能，有些事情總是值得一試。

「我的獨唱呢？」
「噢，你的獨唱。
不，沒有獨唱了。
你的聲音不錯，
但沒有人是無可替代的。」

　　放棄作曲的音樂家到育幼院當老師，裡頭大多是失去父母的問題學生。他發現學校的高壓管教不能幫助孩子，便重拾樂譜，以音樂感化學生。他們組成合唱團，讓悠揚歌聲牽引彼此，走到明亮道路上。

● 2004 年出品　導演：克里斯托夫巴拉蒂 Christophe Barratier

May 12 | 在黑暗中漫舞
Dancer in the Dark

我傾聽我的心……

在音樂劇中，所有事物都是美好的。

「你不覺得當電影響起片尾曲時，很讓人厭煩嗎？」

「為什麼？」

「因為你知道就快結束了。我超恨這種感覺，
我會在進入片尾曲前就離開，那電影就會永遠播放。」

　　東歐移民莎瑪攜子到美國製鍋廠工作。熱愛音樂的她，時常從乏味的生活聽見節奏。她努力存錢，一心想治癒兒子遺傳的眼病，但自己也面臨失明命運。遭解僱後，她發現警察房東偷走全部積蓄。一陣混亂中，警察死了，她被誣陷為殺人犯，跌入黑暗的深淵……

● 2000 年出品　導演：拉斯馮提爾 Lars von Trier

May 13 | 三個傻瓜
3 Idiots

> 在愛和戰爭中，一切都是公平的。

> 心很脆弱，你得學會呵護它。
> 不管碰到多大的困難，
> 告訴你的心：「夥伴，一切都好。」

> 如果我是一個攝影師呢？
> 可能賺更少，車會更小，房子會更小。
> 但是，爸爸，我會感到快樂，快樂很多！
> 無論什麼事，我都會發自內心去做。

> 你們都陷入了瘋狂的競賽，
> 你用這種方法第一個找到答案，又有什麼用？
> 你的知識會增加嗎？不會，增加的只有壓力。
> 這是一所大學，不是壓力鍋。

藍丘在印度頂尖大學求學，他不受僵化教育禁錮，勇於追尋夢想。班上最重成績的同學查托看不慣藍丘，卻每次都考輸藍丘，屈居第二。兩人打賭，十年後再來看看誰的人生更成功。

● 2009 年出品　導演：拉庫瑪希拉尼 Rajkumar Hirani

你朋友不及格，你感覺很糟；

你朋友考第一，你感覺更糟。

即使是馬戲團的獅子，

也會因為怕被鞭打而學會坐在椅子上。

你們會說這是「訓練有素」，

而不是「教育成功」。

所有不完美的事物都需要愛。

Love

May 14 ｜ 花神咖啡館
Café de Flore

你相信靈魂伴侶嗎？我相信。

我喜歡這個概念，

在某處，某個人註定要與你共度一生。

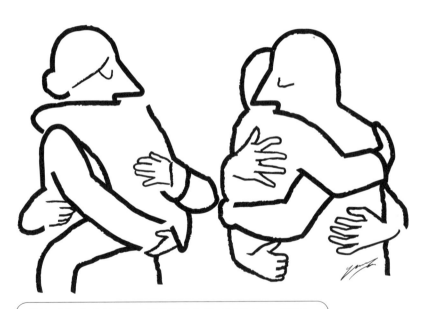

假如是靈魂伴侶，就絕不會發生兩次，是吧？
人的一生不可能與靈魂伴侶相遇兩次。

　　一對男女在難解的三角關係中，譜出跨時空愛戀。看似毫無關聯的故事，
迸發出神祕且超越因果的史詩旅程。

● 2011 年出品　導演：尚馬克瓦利 Jean-Marc Vallée

May 15 | 穆荷蘭大道
Mulholland Dr.

演戲就是反應。

這就像是在電影中一樣。

假裝你是別人。

　　到洛杉磯追夢的黛安娜，電影試鏡輸給卡蜜拉，兩人成為同性戀人。不順遂的黛安娜，得靠卡蜜拉演到小角色，卡蜜拉竟決定與導演結婚。心碎的黛安娜參加他們的派對，看見卡蜜拉與另一名女子接吻。嫉妒心徹底燃燒的她，雇用殺手復仇，世界也瀕臨毀滅⋯⋯

● 2001 年出品　導演：大衛林區 David Lynch

May 16 | 心靈捕手
Good Will Hunting

> 你不知道什麼是真正的失去，
>
> 因為那只有在愛一個人多過愛自己時，
>
> 才會真正發生。
>
> 我猜你沒有那個膽量愛人愛得那麼深。

> 我問你什麼是愛，
>
> 你或許會回我一句十四行詩，
>
> 但你不曾看著一個女人，
>
> 感到全然的脆弱無助；
>
> 你也不曾認識一個女人，
>
> 光靠她的雙眼就能讓你昇華，
>
> 那感覺像是神專門為你派來一位天使，
>
> 將你從地獄的深淵中拯救出來。

　　一位數學天才，在學校擔任清潔工，天賦意外被教授發現，卻拒絕任何協助。態度不佳、行為暴躁的他，只想鬼混，直到心理學教授出現，以自身經驗幫助他，才打開封閉已久的心。

● 1997 年出品　導演：葛斯范桑 Gus Van Sant

你並不完美，坦白說，你認識的女孩
也並不完美。問題是，你們對彼此而言，
是完美的嗎？

你會經歷低谷，但是這些經驗也會開啓你的視野，
讓你注意到以前從未留意過的美好事物。

May 17 ｜ 大鏢客
Yojimbo

**停戰經常是一場更大戰役的伏筆，
沒有比這更糟的了。**

　　武士流浪到小鎮，發現當地有兩派黑幫，長期互鬥，造成居民極大痛苦。
武士用妙計促使雙方陷入火拚，等其中一方被消滅後，再出來消滅另一方。
他智勇雙全，幫助百姓恢復平靜的生活。

● 1961 年出品　導演：黑澤明 Akira Kurosawa

Dream

搖滾教室
School of Rock

搖滾精神並不在於追求完美。

如果你想搖滾，就要有打破規矩的勇氣。

拜託老兄，我們是有使命的。

一場出色的搖滾演出可以改變世界。

一名搖滾樂手被樂團開除，陰錯陽差到小學任教，意外發現學生的音樂才能。他組織樂團，帶領學生勇敢表現自我，發揮熱情、積極的搖滾精神。

● 2003 年出品　導演：李察林克雷特 Richard Linklater

May 19 | 前進高棉
Platoon

有人曾說：「地獄就是理性的墳墓。」
這就是這個地方給我的感覺。地獄。

藉口就跟屁眼一樣，每人都有一個。

或許我終於找到了，在這堆爛泥巴中。
或許在這裡，我可以重新來過，
做一個我可以爲自己感到驕傲的人，
不需要再假裝，不需要再做一個假人類。

所有人都知道，窮苦人總是被有錢人任意宰割。
過去如此，未來也會如此。

　　克里斯輟學從軍，來到越南投入戰爭。部隊裡兩位中士嚴重不和，影響戰場合作，也暴露兩種價值觀的對立：恣意屠殺和遵守教戰守則。戰爭的殘酷、戰友的內鬥與濫殺無辜，讓熱血天真的克里斯變得麻木。
● 1986 年出品　導演：奧立佛史東 Oliver Stone

我喜歡這個地方的夜晚，滿天繁星。
那裡沒有是非對錯，只有星星。

我們不是在跟敵人戰鬥，我們是在跟自己戰鬥。
敵人就在我們心裡。

May 20 | 一路玩到掛
The Bucket List

　　古埃及人對死亡有個美麗說法，說人死後靈魂會飄到天堂門口，守門神會問兩個問題，亡靈的回答將決定能否進入天國。

一，這輩子有感受到歡樂嗎？

二，這一生有為別人帶來歡樂嗎？

　　雙人病房裡，罹患癌症的兩個陌生人相遇。原本互看不順眼的兩人，一同面對病魔，分享彼此生命中的遺憾，成為患難好友。兩人決定，在剩下幾個月的人生中，環遊世界、勇敢冒險，完成清單上的遺願。

● 2007 年出品　導演：羅伯萊納 Rob Reiner

Love

May 21 | 婚姻故事
Marriage Story

死去的部分並未死去，只是陷入昏迷。

> 處理犯罪的律師看見壞人最好的一面，
> 處理離婚的律師看見好人最壞的一面。

> 我認識他兩秒就愛上他了，
> 就算愛他已經沒有任何意義，我仍不會停止愛他。

　　演藝世家長大的妻子，為加入丈夫劇團來到紐約。她希望帶著兒子回家鄉發展，卻長期受忽略；丈夫也無法諒解她突然的改變。兩人協議離婚，希望好聚好散，卻在爭取監護權時，互揭瘡疤。從相知、相愛到相恨，成就了彼此，卻在妥協中失去自己，婚姻故事該如何繼續？

● 2019 年出品　導演：諾亞波拜克 Noah Baumbach

May 22 | 神鬼戰士
Gladiator

今天我親眼見證，
一個奴隸可以變得比羅馬皇帝更強大。

有時候，我做我想做的事情。
其他時候，我做我應該做的事情。

曾經有個夢想叫羅馬。
你只能輕聲呢喃，
稍微大聲一點，夢想就會消失，
它就是如此脆弱。

死亡向我們所有人微笑，
一個人能做的，就是微笑回去。

　　羅馬皇帝奧里略即將駕崩，他決意把皇位傳給將軍麥西莫，並讓他重建共和制。王子康默德斯弒父篡位，殺害麥西莫的妻小。麥西莫秘密流亡，被商人收留後，成為角鬥士回到羅馬，展開復仇。
● 2000 年出品　導演：雷利史考特 Ridley Scott

羅馬的心臟不是元老院的大理石，
而是競技場的沙子。

兄弟們，
我們在生命中所做的一切，
將在永恆裡迴響。

May
23 | # 七寶奇謀
The Goonies

「你知道嗎？只要你的嘴不要把一切搞砸，其實你的聲音很好聽。」
「你知道嗎？只要你的臉不要把一切搞砸，其實你長得很好看。」

美國西岸小鎮住民受建商威脅，若沒錢買下土地就得搬離。一群小朋友發現一張 17 世紀的藏寶圖，他們共同抵擋壞人，設法找到寶藏，守衛家園。
● 1985 年出品　導演：李察唐納 Richard Donner

Courage

May 24 | 追風箏的孩子
The Kite Runner

你所記得的一切
都不在了，
還是忘掉比較好。

孩子不是著色本，你無法隨心所欲塗上你喜歡的顏色。

世上只有一個罪行，就是偷盜。

其他罪行都是另一種偷盜……

你殺人，等於偷走生命。

你偷走妻子擁有丈夫的權利；

也偷走孩子擁有父親的權利。

你撒謊，你就偷走某人得知真相的權利。

你作弊，你就偷走了公平的權利。

在阿富汗，年幼的富家子弟和僕人情同兄弟，最喜歡一起放風箏，一次暴力事件讓兩人從此走向陌路。數十年過去，一通來自遠方的電話，讓富家子涉險返回阿富汗，勇於面對過錯並試圖彌補……

● 2007 年出品　導演：馬克福斯特 Marc Forster

Dream

May 25 | 第七封印
The Seventh Seal

「生命是一種荒謬的恐怖。
如果知道一切都是虛無的，
沒有人可以活著面對死亡。」
「大部分人根本沒想過死亡或是虛無。」

在所有瘟疫中，愛是最黑暗的一個。
如果人可以因愛而死，那麼愛還能有些樂趣，
但是你不會因愛而死。

愛就像感冒一樣容易傳染。
它會吃掉你的力量、你的士氣……
如果世上的一切都是不完美的，
愛便是不完美中的完美。

　　黑死病猖獗的中世紀歐洲，男人參加完十字軍東征後歸來，感到生命脆弱與信仰虛無之際，死神降臨。他誘惑喜愛棋局的死神，賭一盤棋，贏了便可保命。棋局間，他利用延長的生命返家，尋找生存意義。死神一路相隨，等待他走下一步棋……

● 1957 年出品　導演：英格瑪柏格曼 Ingmar Bergman

我們需要把恐懼塑造成偶像，

再稱呼它爲神。

信仰是種折磨。就像愛著某個身處黑暗中的人，
無論你喊得多大聲，他都不會現身。

我想要眞理！
不是信仰，不是假設，只要眞理。
我希望神能伸出手，揭開祂的面容，
親自對我說話。

May 26 | 蝴蝶效應
The Butterfly Effect

**把你的心想成一部電影，你可以暫停，
倒轉，或是放慢任何你想看的細節。**

如果你不摧毀一個人原本的自我，你不可能改變他。

真正的快樂只能透過犧牲達成，
就像父母為我們做出的犧牲，
讓我們今天可以站在這裡。

　　身世坎坷的伊凡擁有回到過去的能力，但當他回到某個時間點阻止不幸
發生，另一場悲劇就乘著連鎖效應接踵而至。

● 2004 年出品

導演：艾瑞克布萊茲 Eric Bress、麥基古柏 J. Mackye Gruber

May 27 │ 享受吧！一個人的旅行
Eat Pray Love

有時候為愛失去平衡，

也是找回生活平衡的一部分。

> 也許我的生活並沒有那麼混亂，混亂的是世界，
> 而唯一真實的陷阱就是身陷其中。
> 毀滅是禮物，是踏上轉變的路途。

> 平衡不是讓別人愛你，少於你愛你自己。

已婚的專欄作家在婚姻裡感到失落，她決定拋開一切，展開身心靈追尋之旅。她旅行義大利、印度，最後意外在峇里島找到身心平靜與真愛真諦。

● 2010 年出品　導演：萊恩墨菲 Ryan Murphy

May 28 | 戀夏（500）日
(500) Days of Summer

> 聽著，我知道你覺得她就是你的真命天女，
> 但我不這麼想。
> 我認為你只記得那些美好的回憶。
> 下一次當你回首，
> 我真的希望你能再好好看一次。

> 人們沒有意識到，孤獨的重量完全被低估了。

> 她跟你一樣喜歡奇怪玩意兒，
> 並不代表她就是你的靈魂伴侶。

> 就是這些卡片、電影、流行歌害的，
> 它們要為所有關於愛情的謊言和心碎負責。

　　名為夏天的女孩，讓男孩深深著迷。他們度過愉快的 200 多天，女孩始終不承認兩人關係，選擇離去。第 488 天，他們再次相遇，女孩已為人妻。原來，她是他的真命天女，他卻不是她的真命天子，愛情能突如其來，也能瞬間消逝，無法強求。

● 2009 年出品　導演：馬克韋伯 Marc Webb

巧合，一切都是如此，只有巧合，沒別的。

湯姆終於發現奇蹟並不存在，

沒有命運這回事，事情不是註定好的。

May 29 | 寄生上流
Parasite

「太太人很單純又善良，有錢卻很善良。」
「不是『有錢卻很善良』，
是『有錢所以善良』，懂嗎？
如果我有這些錢的話，我也可以很善良。」

你知道什麼計畫永遠不會失敗嗎？
就是「沒有計畫」。

　　居住在首爾地下屋裡的一戶窮苦人家，個個練就一身高強的犯罪功夫。他們逐一寄生在一戶富裕人家中，改善了自己的生活。當他們的貪念不斷擴大，竟發現自己不是唯一的寄生者，一場慘烈的生存鬥爭即將引爆……
● 2019 年出品　導演：奉俊昊 Bong Joon Ho

May 30 | 狗臉的歲月
My Life as a Dog

事實上，我還蠻幸運的，
我是指跟別人比較起來的話。
你必須比較，
才能讓自己和事情拉開一些距離。

母親病情加劇，男孩英瑪必須投靠親戚。他無法帶走心愛的小狗西卡，自己也感覺被拋棄。鄉村生活快意自在，英瑪認識新朋友、健康長大、經歷性的啟蒙，也面對母親及小狗的死亡。走過童年與成長，他體會生命的茁壯與凋零：這段橫跨兩個世界的「狗臉歲月」。

● 1985 年出品　導演：萊思霍斯壯 Lasse Hallström

May 31 | 魔戒首部曲：魔戒現身
The Lord of the Rings: The Fellowship of the Ring

> 一個巫師從來不遲到，也從來不早到，
> 他只會剛好在他應該出現的時候來到。

> 許多活著的人應該死去，
> 許多死去的人又值得活著。
> 你能夠決定他們的命運嗎？

> 我們只需要決定如何使用我們被賦予的時間。

> 就算是最渺小的人，也能改變未來的進展。

哈比人佛羅多意外得到一枚戒指，魔君索倫征服中土世界的關鍵，就在這枚戒指上。哈比人、巫師、人類、精靈與矮人組成遠征隊，要把魔戒丟入末日火山，一舉終結戰亂。

● 2001 年出品　導演：彼得傑克森 Peter Jackson

我寧可與你共度此生，也不願獨自面對永生。

Dream

June
1 | # 我和我的冠軍女兒
Dangal

金牌選手不會從天而降，你必須用熱愛、
刻苦和投入來澆灌他們。

起碼你們的爸爸重視自己的小孩。

他對抗整個世界，沉默的忍耐一切嘲諷，為的是什麼？

為的是讓你們擁有未來與人生！這有什麼不對？

　　退休摔角冠軍發現女兒的天賦後，決定鍛鍊她們成為摔角冠軍。刻苦訓
練下，女兒吉塔嶄露頭角，卻因相信其他教練，和父親產生隔閡。場上追
求榮譽，場下填補父女之情，吉塔能否贏得金牌？

● 2016 年出品　導演：涅提帝瓦里 Nitesh Tiwari

June 2 | 末代皇帝
The Last Emperor

紫禁城內您永遠是皇帝，但在外面不是。

「為什麼語言那麼重要？」

「如果你不能好好說出你的想法，

你就不能對你說的話負責。

而一個紳士，總是要對他說的話負責。」

紫禁城是個

沒有觀眾的劇院。

　　清朝末年，三歲的溥儀登基成為皇帝，六歲即退位，後來成了日本滿州國的傀儡皇帝。日本投降，接著迎來文革的殘酷。歷經清末民國、偽滿洲國、共產黨等時代動盪，多年後他以遊客身分重回紫禁城，回顧身不由己與孤獨的一生。

● 1987 年出品　導演：柏納多貝托魯奇 Bernardo Bertolucci

June
3 ｜ 大吉嶺有限公司
The Darjeeling Limited

我時常在想，要是我們三個不是兄弟，
只是一般人的話，我們會不會是好朋友？

「你的眼睛怎麼紅紅的？」
「你的頭怎麼禿禿的？」

他因為某種疾病所以把頭給剃光了。
不過他本來就不用剃頭，
因為他根本長不出頭髮。

「他說火車好像迷路了。」
「火車怎麼會迷路，它有軌道耶。」

　　事業有成的老大、無所事事的老二、神經質的老三，各自懷念過世一年的父親，母親未出席喪禮讓他們不解。為尋求答案與救贖，性格迥異的三兄弟搭上火車，展開綺麗的印度之旅。他們能否化解對彼此的不信任，找回手足之情？

● 2007 年出品　導演：魏斯安德森 Wes Anderson

我好喜歡這個國家聞起來的感覺，
我永遠不會忘記。是一種辣辣的感覺。

June 4 | 藍色情挑
Three Colors: Blue

我感激你爲我所做的事。
但你知道，我就和其他女人一樣，
我會流汗、會咳嗽，而且我有蛀牙。

> 我唯一僅剩的事情：就是無所事事。
> 我不想要任何物品、任何回憶。
> 沒有朋友、愛情。那些都是陷阱。

> 「你爲何哭泣？」
> 「因爲你沒有哭泣。」

音樂家全家出遊，不幸發生車禍，丈夫與女兒當場身亡，只剩妻子獨活。她逃避悲傷，回憶卻一波波襲來。為了重拾自由，她拋下過去，讓過往的雲煙逝去。

● 1993 年出品　導演：克里斯多夫奇士勞斯基 Krzysztof Kieslowski

June 5 | 養子不教誰之過
Rebel Without a Cause

「沒有人和孩子們溝通。」

「沒錯，大人只會告訴他們該做什麼。」

　　少年隨父母搬到洛杉磯，認識心儀的女生，也交到朋友。此時，他與當地小混混頭目發生糾紛，兩人決定以賽車決勝負。頭目不幸墜崖身亡，他的兄弟們向少年報仇。兩方激戰中，好友竟意外被警察槍殺，少年該何去何從？

● 1955 年出品　導演：尼古拉斯雷 Nicholas Ray

June 6 | 駭客任務
The Matrix

你吞下藍色藥丸，故事就會結束，
你在床上醒來，相信一切你想要相信的事情。
如果你吞下紅色藥丸，你會留在夢幻仙境，
而我會帶你探索兔子洞究竟有多深。

知道路怎麼走，跟實際走過這條路，是不一樣的。

什麼是「真實」？你怎麼定義真實？
如果你指的是你感覺得到、聞得到、
嚐得到、看得到的東西，
那麼「真實」不過是你腦中解讀的電子訊息罷了。

否認我們的本能，
就是否認我們身為人類的本質。

安德森發現眼前的世界，不過是母體在我們腦中創造的幻象。他越深入探索，就越理解自己的真實身分不是安德森，而是尼歐：解放人類脫離謊言與奴役的救世主。

● 1999 年出品　導演：華卓斯基兄弟 The Wachowski Brothers

你們每到一個地方，就鯨吞蠶食、大肆揮霍，

直到耗盡所有自然資源。

你們生存的唯一方法，就是擴散到其他地方。

地球上有另一種生物遵循著一樣的模式，

你知道是什麼嗎？病毒。

人類是一種疾病，這顆星球上的癌細胞。

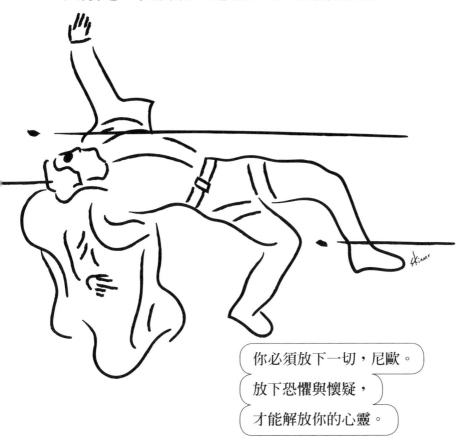

你必須放下一切，尼歐。
放下恐懼與懷疑，
才能解放你的心靈。

June 7 ｜ 姊妹
The Help

**醜陋是一種從內心生長出來的東西，
是刻薄與傷害。**

每天早上醒來，你都必須做出決定。問問自己：
「我今天要相信那群蠢蛋講的關於我的壞話嗎？」

　　對黑人遭遇感到不平的女作家，著手一個寫作計畫：採訪黑人在白人家工作的甘苦，編寫成冊，發動和平革命，在膚色黑白分明的時代搭起溝通橋梁。

● 2011 年出品　導演：塔特泰勒 Tate Taylor

Dream

鳥人
Birdman or (The Unexpected Virtue of Ignorance)

名氣只是聲望的一個賤表親。

> 一個東西就是一個東西，
> 而不是它被賦予的名字。

　　過氣的好萊塢明星執導舞台劇，希望重獲大眾認可。他付出所有金錢與人脈，賠上家庭。誰知舞台劇男主角任性妄為，讓他備受壓力。瀕臨崩潰的他，在幻覺中變身為自己最受歡迎的角色「鳥人」，於城市飛翔。回到舞台上，他朝自己開槍，這一槍卻讓他的舞台劇大獲好評，受到各界媒體關注。

● 2014 年出品　導演：阿利安卓崗札雷伊納利圖 Alejandro G. Iñárritu

June 9 | 魔鬼代言人
The Devil's Advocate

讓我告訴你一個上帝的小秘密：
祂喜歡冷眼旁觀。

上帝制定了與本能相反的律令，
史上最大的惡作劇：
看了，就別碰；碰了，就別嚐；
嚐了，就別吞！
呵，當你一步一步朝禁忌邁去，
祂會樂不可支的嘲笑你！

自由意志像蝴蝶般脆弱。
一旦被撒旦碰觸，就再也無法飛翔。
魔鬼只是架好舞台，你們自己就成了傀儡。

　　戰無不勝的年輕律師為了維持紀錄，不顧道義為人辯護。他受邀去紐約工作，事情卻開始失控：不但妻子精神失常，他也無法抵抗對女同事的慾望。原來上司竟是魔鬼的化身，也是他的生父。此時，魔鬼向他提出一個要求……

● 1997 年出品　導演：泰勒哈克佛 Taylor Hackford

虛榮，無疑是我最愛的原罪。

自戀就是人類的本性，是全天然的鴉片！

你不是不愛你的妻子，但你更愛另一個人：你自己。

愛情總是被高估。

生理上，愛情無異於吃下大量的巧克力。

June 10 | 曼哈頓
Manhattan

八卦是新的色情產品。

> 我的分析師警告過我，但是你太美麗了，
> 所以我換了另一個分析師。

> 我最大的問題是不能表達憤怒。
> 結果，我就長出了一顆腫瘤代替。

> 我有個瘋狂的衝動，想把你扔在月球表面，
> 然後自首我是個太空變態。

　　四十多歲的編劇與妻子離異後，和十七歲少女交往。某次結伴出遊，讓他對好友的情婦產生情愫。多段岌岌可危的關係，刻劃都市人逃避舊問題、製造新麻煩的荒謬宿命。

● 1979 年出品　導演：伍迪艾倫 Woody Allen

June 11 | 愛的萬物論
The Theory of Everything

人類的努力不應該有界限。我們都不一樣。
不論人生有多糟，總是有你可以做、
可以成就的事情。只要還活著，就有希望。

　　年輕物理學家霍金意氣風發，立志找出破解宇宙的簡明理論，卻被診斷罹患漸凍人症，時日無多。懷抱妻子的愛與關照，他和疾病搏鬥數十年，研究他彌足珍貴的「時間之謎」。

● 2014 年出品　導演：詹姆士馬許 James Marsh

Hate

June
12

無間道
Infernal Affairs

> 古惑仔不見得是壞人，
> 警察也不一定都是好人，
> 有些人你和他相處一段時間，
> 才知道他是什麼人。

> 算命的說我是「一將功成萬骨枯。」
> 可我不同意！
> 出來混，是生是死，我們自己決定。

> 他每天起床就跟自己演戲，
> 演得他連自己的真實性格都忘了。

陳永仁考入警校後，被指派潛入黑幫做臥底。劉建明出身黑道，受老大指派考警校，進入警隊做內鬼。兩個身心分離的人，演繹出驚險、無奈的人生故事。

● 2002 年出品　導演：劉偉強 Andrew Lau、麥兆輝 Alan Mak

往往都是事情改變人，

人改變不了事情。

June 13	# 關鍵少數 Hidden Figures

分隔跟平等是兩種不同的概念。只因為它是現狀，不代表它就是正確的，好嗎？

> 每一次當我們有機會接近終點時，
> 他們就把終點線往前移。每一次。

> 法官大人，在您現在審理的案件中，
> 哪一件的影響力會持續上百年？讓您成為史上第一人？

保守的六零年代初期，三位女孩在美國太空總署 NASA 任職。她們因性別與膚色受到不公對待，但堅持理念與夢想，緊緊抓住時代賦予的機會，幫助第一位美國太空人進入地球軌道。

● 2016 年出品　導演：西奧多梅爾菲 Theodore Melfi

June 14 | 壁花男孩
The Perks of Being a Wallflower

「為什麼我和所有我愛的人，都愛上
不把我們當一回事的人？」
「我們只接受自己認為值得的愛。」

> 我的醫生告訴我，我們不能選擇來自何方，
> 但我們可以選擇走向何方。
> 我知道這不是唯一解答，
> 但這足以讓我們開始拼湊生命的碎片。

　　個性內向的查理，不知該如何表達自己而被同儕排擠。直到他遇見派翠克和珊，鼓起勇氣走向他們，人際關係也開始轉變。歷經孤單、友情與愛情的查理，克服往日陰影，在這段青春序曲中成長茁壯。

● 2012 年出品　導演：史蒂芬切波斯基 Stephen Chbosky

June 15 | 當幸福來敲門
The Pursuit of Happyness

你有一個夢想，你就得捍衛它。

人們自己做不到，就會告訴你「你辦不到」。

如果你要某個東西，就努力去爭取。

發生在我身上的事情不能代表我。

我選擇要成爲什麼樣的人，才能代表我。

我們每天有大量的機會生氣、感受到壓力、

或被冒犯，但當你沉溺在負面情緒裡，

便是將快樂的權利交由外部因素來操控。

你可以選擇不讓那些小事困擾你。

只有兩個問題。

做什麼？

以及怎麼做到？

　　一名單親爸爸因事業失敗窮途潦倒。為了兒子的未來，他必須咬緊牙關重新振作，處處向機會敲門。他始終相信：只要今天夠努力，幸福明天就會來臨。

● 2006 年出品　導演：加布里爾穆奇諾 Gabriele Muccino

別讓任何人告訴你，
你做不到什麼事情。
就算是我也一樣。

June 16 | # 金甲部隊
Full Metal Jacket

死去的人只知道一件事：活著比較好。

我很嚴格，所以你們不會喜歡我。
但是你們越恨我，越會學到東西。

沒錯，我活在一個糟糕的世界裡，
但我活著，而且我不害怕。

　　一群美國青年應徵入伍，接受軍訓，準備投身越戰。訓練極為殘酷，徹底踐踏他們的尊嚴，要把他們打造成殺人機器。過度的逼迫，注定造成悲劇。他們帶著陰霾，步上越南戰場，等候他們的卻是更巨大的悲情。

● 1987 年出品　導演：史丹利庫柏力克 Stanley Kubrick

June 17 | MIB 星際戰警
Men in Black

人類個體是聰明的，但整體是愚蠢的。

你知道我跟你的區別嗎？我讓東西看起來好看。

「你知道貓王已經死了對吧？」
「不，貓王沒死，他只不過是回家了。」

　　特殊情報單位負責監控地球上的外星人、搜查入境外星人，並提供過境協助。一次任務中，探員 K 與 J 意外發現外星蟲族正要毀滅地球，企圖掌握星際統治權攻占銀河。他們穿上黑西裝，準備好武器，一同阻止這場恐怖陰謀，拯救地球。

● 1997 年出品　導演：巴里索南菲爾德 Barry Sonnenfeld

所有不完美的事物都需要愛。

June 18 | 東京物語
Tokyo Story

> 這個城市這麼大，不小心走散了，
> 可能一輩子都見不到了。

> 如果我知道她走得那麼突然，
> 我會對她好一些。

> 兒女終究會離開自己的父母。
> 一個女人有她自己的人生，
> 要跟她父母分開……
> 我確定她是沒有惡意的。
> 她們必須照顧自己的生活。

　　周吉和富子是一對老夫妻，搭火車前往東京探望兒女。長子幸一工作繁忙，只能請次子昌二的遺孀紀子陪伴兩老遊覽東京。他們之後搬到次女志泉家，卻遭到嫌棄，甚至被迫在半夜流落街頭。老夫妻深刻體會到，兒女已經離自己遠去，願意陪在身邊的，是失去丈夫的媳婦。

● 1953 年出品　導演：小津安二郎 Yasujirô Ozu

一個人生活，覺得日子都變長了。

西城故事
West Side Story

是你們殺了他！

不是用子彈，不是用槍，而是仇恨。

現在我也可以殺人了，因為我滿懷仇恨！

紐約西區的貧民窟有兩個少年流氓集團。兩集團勢不兩立，經常在街頭互相挑釁。某天體育館舉行盛大舞會，分屬對立集團的一對男女陷入熱戀。他們想化解紛爭，但事與願違，被捲入衝突的漩渦中……

● 1961 年出品

導演：傑羅姆羅賓斯 Jerome Robbins、勞勃懷斯 Robert Wise

June
20 | **心靈角落**
Magnolia

我們可能可以跟過去一刀兩斷，
但過去不會停止對我們的糾纏。

我真的有愛可以給人，

我只是不知道該給誰？

　　一天中，十個小人物所遭遇到的事件，看似毫無關聯，最後卻串聯在一起。巧合與機緣交織人世間的悲歡離合，大千世界的渺小人類帶著自己的創傷和過往，走過哀愁，邁向與命運和解的道路。

● 1999 年出品　導演：保羅湯瑪斯安德生 Paul Thomas Anderson

June 21 ｜ 七武士
Seven Samurai

> 所有農夫就只會擔心，
>
> 下雨時擔心，出太陽時擔心，風吹了又擔心。
>
> 簡單來說，他們知道的只有恐懼。

> 這是戰爭的本質：保護他人，你就拯救了自己。
>
> 如果你只想到自己，就只會摧毀自己。

> 好城堡必須有壕溝。
>
> 我們一定要把敵人引誘進來，才能攻擊他們。
>
> 如果只想著防守，我們就會打輸。

日本戰國時代末期，大量武士淪為強盜，四處打劫。一個村子飽受強盜侵襲，村民決定聘請外面的武士來守護家園。窮苦的村民只出得起白飯，卻打動七名正義的武士，願意無償協助村民備戰，抵抗入侵的墮落武士。

● 1954 年出品　導演：黑澤明 Akira Kurosawa

危險總是在一切看來安好的時候

發動攻擊。

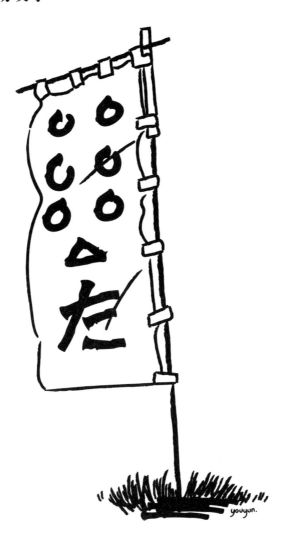

Dream

<table>
<tr><td>June
22</td><td># 阿瑪迪斯
Amadeus</td></tr>
</table>

請原諒我，陛下。
我是個粗俗的人，
但我向你保證，
我的音樂可不是。

我全部的願望，就是為神歌唱。

祂給了我渴望，卻又讓我靜默。

為什麼？如果祂不想我用音樂讚美祂，

為什麼又要注入這種渴望？好像情慾在我體內蠢動！

然後又否定我的才能？

　　樂師薩里耶利不斷哭喊自己是殺死莫札特的凶手，因此被送進瘋人院。在向牧師的懺悔中，他開啟了對莫札特的回憶，那個上帝在音樂界的化身，如何以非凡天賦創作出一部部偉大歌劇，因而激起他的妒忌與殺機。
● 1984 年出品　導演：米洛斯福曼 Milos Forman

June 23 | 西線無戰事
All Quiet on the Western Front

你還是覺得為自己的國家而死很美嗎？

第一波轟炸給了我們許多啓示：

當為國家獻身的時刻來臨時，

還是不要死的好。

　　第一次世界大戰期間，一群德國少年滿懷理想，在校長慫恿下，離家前往戰場。他們被派往西線參戰時，親眼目睹到無數殘酷的景象。戰爭的荒謬無情讓他們心灰意冷，最後因傷返鄉。

● 1930 年出品　導演：路易邁斯東 Lewis Milestone

June 24 ｜ 心中的小星星
Like Stars on Earth

> 每個孩子都有自己的專長、
> 自己的潛力、自己的喜好。

> 把你沉重的野心放在自己孩子脆弱的肩上,
> 這比雇用童工還糟糕。

> 這世上曾經誕生許多鑽石,
> 改變了世界的面貌。
> 因為他們能從不同的角度看待這個世界。

> 在所羅門群島,當地人需要部分森林耕種時,
> 他們不會砍伐樹木,
> 而是會圍著樹喊叫、怒罵並詛咒。
> 一段時間後,樹就會枯萎凋謝,自然死去。

　　八歲的伊翔功課欠佳,為此飽受老師指責與同學嘲笑。他逃避學習,躲進繪畫的世界。他被父親送進寄宿學校,陷入孤立的境地,熱心的美術老師療癒了伊翔的心,喚醒他的潛能。

● 2007 年出品　導演:阿米爾罕 Aamir Khan

關心非常重要，它有治癒人心的力量，
也是解除痛苦的良藥。

Love

June
25 | # 藍色情人節
Blue Valentine

我覺得男人比女人浪漫多了。

男人抗拒婚姻，直到遇見那個她，讓我們覺得，

如果不把她娶回家，我們就是大傻瓜。

可是女人就跟上街買菜一樣，挑來挑去，

總想挑到最好的。她們終其一生在尋找

白馬王子，最後卻嫁給了某個有份穩定工作的人。

結婚多年的夫妻生活走到僵局，兩人試圖挽救分崩離析的婚姻。從初識到相戀，歷經種種變動，所有點滴回憶慢慢清晰。

● 2010 年出品　導演：德瑞克奇安佛蘭斯 Derek Cianfrance

June 26 ｜ 追殺比爾
Kill Bill: Vol. 1

我要他在你殘破的身體上，見證我的仁慈。

> 我缺乏的，
> 是仁慈、憐憫、饒恕，
> 而不是理性。

> 復仇從來不是一條直線，
> 而是座森林，
> 很容易讓你迷失方向。

　　懷孕的新娘在結婚當天，被一群黑幫老戰友持槍掃射，所有人死亡，只剩新娘奄奄一息。最後，她被比爾當頭槍擊，陷入黑暗，卻奇蹟生還。在醫院醒來後，她發現失去了腹中的胎兒，悲痛欲絕，仇恨沸騰。她重溫武藝，拜師煉刀，展開一連串復仇。

● 2003 年出品　導演：昆汀塔倫提諾 Quentin Tarantino

June 27 | 神鬼無間
The Departed

「我快發瘋了，
我不能每天都做一個不是自己的人。」
「冷靜點吧，這世界上大部分的人
每天都做著這樣的事情。」

面對一個表現得像是沒什麼好失去的人，
你不能信任他。

一個人必須開闢他自己的道路。沒有人會幫你，
你必須去爭取。

　　比利生長在黑手黨家庭，卻考入警校。柯林身家清白，當警察，卻被黑幫收買，成為內鬼。比利的背景被警方看中，潛入黑幫成為臥底。兩方人馬爾虞我詐，鬥智鬥勇，賭上的都是性命。

● 2006 年出品　導演：馬丁史柯西斯 Martin Scorsese

驕傲在跌落前到來。

我不想成爲環境的副產品，
我想讓環境成爲我的副產品。

你表現出硬漢的樣子，不代表你就是個硬漢。

June 28 | 不存在的房間
Room

> 我們不知道我們喜歡什麼，
> 所以媽媽和我決定要嘗試一切事物。
> 這世界上有那麼多東西，
> 有時候很恐怖，
> 但沒關係，
> 因為我們永遠都會在彼此身邊。

**如果心門開著，
房間就不會是房間。**

女子被綁架囚禁七年，產下一子，被迫生活在地下室。苦難中誕生的兒子，是她唯一的依靠。兒子從小以為世界就是一個房間，母親教導他學習外面還有個世界，更為他進行一連串逃脫訓練，他們能否重見天日？

● 2015 年出品　導演：藍尼亞柏翰森 Lenny Abrahamson

June 29 | 野草莓
Wild Strawberries

「我知道這是錯的。」

「這沒有對，也沒有錯。我們只是
按照自己的需求去行動。」

如果我感到憂慮或悲傷，我會回憶童年時的場景，
讓我平靜下來。

伊薩克行醫 50 年，在 79 歲時前往母校接受榮譽學位。他重遊舊地，回想起往日時光：曾與美麗的薩拉有過一段美好戀情，卻因為自己的冷酷孤僻，讓薩拉離他遠去。他的個性影響了未來婚姻，更影響了兒子與媳婦的關係。他充滿悔恨的回顧一生，又能否得到救贖？

● 1957 年出品　導演：英格瑪柏格曼 Ingmar Bergman

June 30 | 記憶拼圖
Memento

我們都爲了快樂而對自己說謊。

如果我們不能製造記憶，我們就不能治療傷痕。

你不想得知眞相，所以你創造出了自己的眞相。

記憶可以改變一個房間的形狀，改變一輛車的顏色。

記憶可以被扭曲。

記憶只是一種解釋，不是紀錄。

當你得到眞相時，記憶根本無關緊要。

我們都需要鏡子來提醒自己是誰。

我一直認爲，讀書的快樂在於
你不知道下一頁會發生什麼事？

　　雷納德在妻子遇害後，罹患短期失憶症。他發誓不讓殺妻凶手逍遙法外，懷著堅定的意志，全力緝凶。然而迎接他的，是無止盡的迴圈與謎團……
● 2000 年出品　導演：克里斯多夫諾蘭 Christopher Nolan

我不記得我忘記了你。

July 1 | 大智若魚
Big Fish

人們說，當你遇上摯愛時，時間會暫停，
這是眞的。但人們沒有告訴你，當時針恢復轉動，
它會飛快的讓人無法趕上。

一個人不停述說自己的故事，

他便成了故事本身。

故事在他死後繼續流傳，如此，他也變得永垂不朽。

父親愛誇大其辭、編造怪異冒險，使威爾心生反感而疏遠。直到父親生命垂危，才後悔沒好好理解。他依照父親講過的奇幻經歷，構想父親的傳奇一生，以彌補父子疏離的缺憾。

● 2003 年出品　導演：提姆波頓 Tim Burton

Love

為愛朗讀
The Reader

我受的苦越多，我的愛就越多。

只有一件事能讓靈魂完整，那就是愛。

危險只會增長我的愛。

危險會把愛磨利，為它增添樂趣。

　　二戰後的德國，麥可邂逅年紀稍長的漢娜，展開兩人世界。他為她朗讀名著，沒想到戀情戛然而止。多年後，麥可在法庭實習，發現她坐在被告席。原來她是移送猶太人的德國秘密警察，不願承認自己是文盲而默認罪行。於是，麥可錄下文學著作，寄錄音帶給她，讓她在獄中學會認字、閱讀和書寫。

● 2008 年出品　導演：史蒂芬戴爾卓 Stephen Daldry

July 3 | 黑獄亡魂
The Third Man

義大利在博基亞家族統治的三十年間，

經歷戰爭、恐怖、謀殺、血腥，但是他們孕育出

米開朗基羅、達文西、文藝復興。

在瑞士，人們享受兄弟之愛，

擁有五百年的民主與和平，結果他們產出了什麼？

咕咕鐘。

我的天啊，

你跟我都不是英雄。

這個世界沒有任何英雄，

除了在你的故事中。

　　二次大戰後，小說家馬丁斯受朋友萊姆邀請，來到被分區佔領的維也納。他抵達後，卻得知萊姆已經車禍身亡。在喪禮上，馬丁斯認識了警官和萊姆的美麗女友安娜。警官告訴馬丁斯，萊姆其實是個賣假藥害死人的罪犯。馬丁斯深感疑惑，展開調查，卻發現自己愛上了安娜……

● 1949 年出品　導演：卡羅瑞德 Carol Reed

一個人不會因為你對他了解更多而改變。

July 4 ｜ 單身動物園
The Lobster

如果你碰到自己無法處理的問題，
就會被分配到一個孩子，那通常有用。

> 我們都獨自跳舞，
> 這是爲什麼這裡只放電子音樂。

　　單身是一種「罪」，必須集中管理，45 天內如果沒有找到具共同特徵的終身伴侶，就會變成動物。獵殺逃亡的單身者，則能夠延長期限。男子加入規定不能戀愛的叛逃陣營，卻愛上同樣近視的女子。領導人假裝帶女子做眼睛治療，卻買通醫師弄瞎她。如果兩人要在一起，男子也要是盲人。男子看著鏡子，拿起刀子，他下得了手嗎？

● 2015 年出品　導演：尤格蘭西莫 Yorgos Lanthimos

人害怕還能勇敢，才是真勇敢。

July
5 | **1917**
1917

「我現在只覺得，我們應該要等待。」
「你當然會這麼想，因為有危險的
不是你兄弟，對吧？」

我恨回家。

當我知道自己不能留下，當我知道我必須離開，

當我知道他們可能永遠不能見到我時，

我真的好恨回家。

　一次大戰期間，兩名英國士兵收到緊急命令，去前線阻止總攻擊，避免落入德軍陷阱。布雷克因為哥哥在前線，拚命趕路，史考菲卻顧慮忤命安危，行動猶豫。兩人在路上經歷種種生死患難，體會了親情的意義。

● 2019 年出品　導演：山姆曼德斯 Sam Mendes

Dream

登峰造擊
Million Dollar Baby

> 人們每天死去，幫人擦地板、洗餐盤，
> 你知道他們死前最後的想法是什麼嗎？
> 「我從來沒有機會一展抱負。」
> 但因為你，瑪姬得到了一展抱負的機會。
> 如果她在今天死去，你知道她最後的想法會是什麼嗎？
> 「我想我沒有遺憾。」

> 拳擊是我有生以來唯一喜歡做的事情。
> 如果我太老不能打拳，我就一無所有了。

　　法蘭奇是知名拳擊教練，已經垂垂老矣，有個長年不願跟他說話的女兒。一天，毫無經驗的瑪姬來到拳館，懇求法蘭奇收她為徒。原本堅拒的法蘭奇，看到瑪姬對拳擊的渴望與決心後，點頭答應。法蘭奇幫瑪姬開啟一段光榮旅程，也體會到久違的父女情感。但是，拳擊場上的巨大風險，隨時會讓一切崩塌。

● 2004 年出品　導演：克林伊斯威特 Clint Eastwood

這是爲了夢想，冒險賭上一切，

而這夢想沒有人看見，只有你看得見。

法蘭奇喜歡說拳擊是種不自然的運動，

拳擊的所有事情都是倒退的。

有時候，打出一拳的最好方法，是往後退。

但是你後退得太遠，就不是在戰鬥了。

July 7 衝擊年代
Kids

你年輕時，會覺得一切都無所謂。
但當你找到真正在乎的事情時，
它會成為你的全部。

> 如果你想要快樂，就別思考。
> 別去撞上任何一堵牆。

youyun.

　　紐約下層社會的青少年，將自己暴露於無知的性愛、暴力、毒品之中。泰利的樂趣就是到處找處女發生關係。戰利品之一的女孩得知自己身染愛滋，連忙追找不知情的泰利，以免出現下個受害者，卻發現於事無補。
● 1995 年出品　導演：拉里克拉克 Larry Clark

July 8 ｜ 小太陽的願望
Little Miss Sunshine

**因為怕輸而從來不去嘗試的人，
才是真正的輸家。**

> 管他的選美比賽。人生就是一場又一場的選美比賽。
> 中學，大學，工作……，管他的空軍學校，
> 如果我想飛，我會想辦法飛。
> 做你喜歡的事情，別管別人怎麼想！

　　愛激勵人的爸爸、神經質媽媽、吸毒的爺爺、自殺未遂的舅舅、沉默的哥哥，古怪的一家人帶女孩參加選美比賽，開著車前往加州。倒楣事接連發生，爺爺也在途中過世。他們帶著爺爺遺體來到會場，在舞台上開心跳舞，成為自己心中的小太陽。

● 2006 年出品

導演：強納森戴頓 Jonathan Dayton、瓦勒雷法里斯 Valerie Faris

所有不完美的事物都需要愛。

Love

July 9 ｜ 眞愛挑日子
One Day

> 我單身，但是我不寂寞。

> 無論明天會發生什麼，我們擁有今天。

> 如果我只能送你一個禮物，
> 你知道那會是什麼嗎？
> 自信心。

　　男孩與女孩在大學畢業舞會後，徹夜長談，同床而眠。沒成為戀人，卻成為摯友，兩人相約每年 7 月 15 日見面。20 年間，他們分享生活、愛情與夢想，歷經不同人生際遇，依然無法放下彼此。曖昧的關係早已暗潮洶湧，看似晚到的幸福，其實早已在身旁。

● 2011 年出品　導演：瓏薛爾菲格 Lone Scherfig

我愛你，只是我再也不喜歡你了。

July 10 | 軍火之王
Lord of War

一旦好人不行動，邪惡就得勝。

> 人生有兩種悲劇：
> 一種是想要的東西你得不到，
> 另一種是想要的東西你得到了。

> 某些最成功的關係奠基於謊言與欺騙。
> 既然這通常是關係結束的地方，
> 關係在這裡開始也很合理。

　　軍火商尤瑞藉狡猾的手腕，以第三世界國家的殺戮為商機，非法賺取大筆錢財。他擺布一樁樁的生意，身處黑吃黑、輕賤人命的無良世界，前方是談判交易，背後有警力追捕，危機四伏。

● 2005 年出品　導演：安德魯尼可 Andrew Niccol

July 11 | 康斯坦汀：驅魔神探
Constantine

我想祂對我們所有人都有規劃。

我必須要死兩次，就只為了理解為什麼。

就像聖經裡所說的，祂以神秘的方式工作，

有人喜歡，有人不喜歡。

上帝就像是有螞蟻窩的小孩，祂根本沒有任何計畫。

在地獄的兩分鐘就像一輩子。

　　被診斷出絕症的驅魔人對生命感到絕望。他遇到棘手的自殺案件，與案主攜手合作解決。在一連串的考驗中，驅魔人體會到「捨己救人」的真諦。

● 2005 年出品　導演：佛蘭西斯勞倫斯 Francis Lawrence

July 12 | 鋼鐵英雄
Hacksaw Ridge

> 對我來說，面對一個如此撕裂的世界，
> 想要把它拼湊回去一點點，
> 並不是件壞事。

> 如果我不對自己相信的事情保持忠實，
> 我不知道該怎麼面對自己。

> 大部分的人和你持有不同的信念。
> 但他們非常相信，
> 你有多相信自己的信念。

　　二次大戰期間，美國大兵杜斯拒絕使用武器，因為殺人違反他的信仰。他飽受嘲笑、霸凌，甚至被逮捕審判，仍然不改初衷。他獲准登上沖繩戰場後，奮勇穿梭於日軍砲火之間，赤手空拳拯救傷兵。他的勇氣與堅持感動了同袍，照亮了黑暗的時代。

● 2016 年出品　導演：梅爾吉勃遜 Mel Gibson

和平時期，兒子埋葬他們的父親。

戰爭時期，父親埋葬他們的兒子。

Dream

July 13 ｜ 逍遙騎士
Easy Rider

如果神不存在，就必須發明祂。

他們會跟你談論個體自由，
但是當他們看到一個自由的個體，
他們就會被嚇到。

他們害怕的不是你。
而是你在他們眼中所代表的理念。

　　兩個嬉皮在美墨邊境賣大麻賺了一筆錢，騎著重機在南方各州遨遊。他們沿路瀏覽風光、露營、認識新朋友，充分體現心中的自由價值，也遭受保守勢力的種種逼迫。他們的遭遇，反映了人們對待自由的矛盾態度。

● 1969 年出品　導演：丹尼斯霍伯 Dennis Hopper

July 14 ｜ 阿爾及爾之戰
The Battle of Algiers

開啟革命很困難，要繼續革命更困難。

最困難的，則是贏得勝利。

但是當我們贏得勝利後，真正的困難才要開始。

　　五零年代的阿爾及爾青年阿里，在獄中結識獨立運動份子，出獄後共組聯盟，爭取阿爾及利亞獨立。懷抱民族精神，面對夥伴被捕及法國人暴力鎮壓，阿里以殉身點燃革命戰火。

● 1966 年出品　導演：吉洛龐特科沃 Gillo Pontecorvo

July 15 ｜ 幸福綠皮書
Green Book

> 這個世界充滿了害怕邁出第一步的寂寞人們。

> 不要問你的國家能為你做什麼，
> 要問你能為你自己做什麼。

　　雪莉博士是位黑人鋼琴家，要去保守的美國南方巡迴演奏。為了保障安全，找來大嘴東尼擔任司機兼保鑣。東尼是義大利移民，對黑人充滿歧視，不同的兩人，在旅程中了解彼此，改變自我。

● 2018 年出品　導演：彼得法拉利 Peter Farrelly

如果我不夠黑，我又不夠白，我還不夠男人，
告訴我，東尼，我到底算什麼？

我爸爸常說，無論你做什麼，
都要百分之百全心投入。
工作時，好好工作，
歡笑時，好好歡笑，吃飯時，
當成你最後一餐來吃。

Love

July 16 | 海街日記
Our Little Sister

活著的東西，都是很費工夫的。

> 美好的事物依舊美好，眞是太好了。

> 那時的櫻花眞的好漂亮啊，
> 雖然知道自己快死了，但看到漂亮的東西，
> 還能感受到這份美麗，就覺得很開心。

　　因外遇離家的父親喪禮上，香田三姊妹遇到無依無靠、同父異母的妹妹鈴，她們邀鈴搬來同住。在鎌倉老房的屋簷下，不同性格的姊妹共組新家，經歷三次喪禮。她們在浪聲更迭的海街上，學習接納自己、攜手面對未來。
● 2015 年出品　導演：是枝裕和 Hirokazu Koreeda

July
17 │ 贖罪
Atonement

愛是非常美好的，但你必須要理智面對。

> 儘管你認為世界在你腳下，
> 它仍可以傾覆你、踐踏你。

　　男子託妹妹拿信給她姊姊，不慎拿成情慾小說稿，後又與姊姊舉止親密，讓妹妹誤會其為人。寄宿家中女孩失蹤，妹妹聲稱看見男子推倒女孩，害他遭判刑。妹妹長大後，想起幼時犯下的錯誤懊悔不已，才發現姊姊與當年那名男子竟是一對戀人，她能為自己贖罪嗎？

● 2007 年出品　導演：喬萊特 Joe Wright

July 18 | 頂尖對決
The Prestige

你從來都不懂，我們為何要為魔術付出這麼多？

觀眾知道真相：這世界很簡單，也很悲慘。

要非常堅強，才能撑下去。

但如果你能愚弄他們，就算只有一秒鐘，

也能讓他們感到驚奇。

然後你會看到一個非常特別的景象。

你不知道是什麼嗎？就是他們臉上的表情。

魔術的謎底不會讓任何人印象深刻。

你使用的戲法才是關鍵。

千萬不要把你的秘密告訴任何人。

他們會為了得到秘密乞求你、吹捧你，

然而一旦鬆口，你對他們而言就什麼也不是了。

兩個優秀的年輕魔術師，一起追尋夢想。一次死亡意外導致分家，從此成為敵人。兩人付出一切代價都要得到最高段的魔術秘密，於是走上充滿不幸和罪惡的道路。

● 2006 年出品　導演：克里斯多夫諾蘭 Christopher Nolan

事情不會總是照著計畫走。

這就是科學的美妙。

你會去尋找其中的秘密，但你不會找到，
因為你不是真的在找，你不是真的想找出答案，
你想被愚弄。

你走吧，去過完整的人生，好嗎？
現在開始，代替我們兩個人活著。

July 19 ｜ 瘋狂麥斯：憤怒道
Mad Max: Fury Road

我們是人，不是物品！

「你在做什麼？」

「禱告。」

「對誰禱告？」

「任何聽到的人。」

當世界陷落，我們每一個人都以自己的方式崩壞。

很難知道誰比較瘋狂：我，還是其他人？

　　未來世界一片荒蕪，盜匪橫行。前巡警麥斯帶著過往陰影，獨自流浪。他被不死老喬的黨羽俘虜，正好其指揮官帶著老喬的五名妻妾逃亡，黨羽自告奮勇駕車追趕。沿路的瘋狂衝撞，讓麥斯有機會掙脫，和指揮官一行人組成同盟，抵抗老喬，穿越末世荒原，追求自由……

● 2015 年出品　導演：喬治米勒 George Miller

July 20 | # 太陽帝國
Empire of the Sun

「貝西，你住在哪裡？」

「這裡。」

「不是，我是指戰後。」

「某處。」

「我剛剛夢到上帝。」

「祂說什麼？」

「什麼也沒說。祂在打網球。也許祂一直都待在那裡，所以你醒著的時候都看不到祂，你覺得呢？」

「我不知道，我跟上帝不熟。」

「也許祂是我們的夢，而我們是祂的。」

住在上海英租界的男孩，因戰爭而與雙親分離，進入俘虜營，他目睹人性善惡，經歷人間冷暖，告別童年，奮鬥求生。

● 1987 年出品　導演：史蒂芬史匹柏 Steven Spielberg

July 21 | 螢光幕後
Network

> 我們會告訴你們任何你們想聽的鬼扯蛋，
>
> 我們製造幻象！根本沒有真相！
>
> 但是你們坐在電視機前，日以繼夜，
>
> 跨越一切年齡、膚色、理念。
>
> 我們成了你們知道的一切！

> 我們一定要改變。但首先，你必須感到憤怒！
>
> 你必須說：「我非常憤怒，我忍不下去了！」然後，
>
> 我們才會找方法去解決大蕭條、通貨膨脹、石油危機。
>
> 但首先，站上椅子，打開窗戶，伸出頭，往外大喊：
>
> 「我非常生氣，我再也不忍了！」

　　新聞主播由於收視率下跌，將被免職。他喝得爛醉，直播時告訴觀眾，他將在下週二的節目上自殺，當場遭解雇。主管兼好友給他一次向觀眾好好道別的機會。直播一開始，他再次爆發，狂罵新聞界與社會。沒想到，兩次節目的收視率飆高，刷新紀錄……

● 1976 年出品　導演：薛尼盧梅 Sidney Lumet

電視不是真理，
電視是個該死的遊樂園！

無論好或壞，事實就是如此。
全世界都變得像人形生物，看起來像人類，
但其實不是……不只是我們，整個世界變成了
大量生產、程式化、數字化、毫無生氣的東西。

283

July 22 | 逆轉人生
The Intouchables

我真正的殘缺不是坐在輪椅上，
而是失去她。

「告訴我，你覺得人們為什麼需要藝術？」

「我不知道，因為是種生意？」

「不，因為藝術是人唯一可以留得下來的東西。」

　　白人富商因跳傘意外終身癱瘓，請來一位剛出獄的黑人擔任看護。迥然不同的兩人在朝夕相處中，培養出真摯的友誼，對生命有更深刻的體會。

● 2011 年出品

導演：奧利佛納卡契 Olivier Nakache、奧利克多倫達諾 Éric Toledano

所有不完美的事物都需要愛。

Love

July
23 | # 橫山家之味
Still Walking

死去的人並不是真的離開，
而是從此住進活著的人心中。

15 年前橫山家的長子因救人溺斃，忌日時，次子帶著妻子與繼子返家。儘管餐桌上穿插幽默情節，情感糾結卻在其下洶湧：未曾離去的逝者、親子婆媳情結、無法說出的話。他們只能掩藏遺憾，繼續前行。

● 2008 年出品　導演：是枝裕和 Hirokazu Koreeda

Hate

July
24

亂
Ran

> 在一個瘋狂的世界裡，只有瘋子才是清醒的。

> 如果你站著的岩石開始滾動，要趕緊跳開。
> 否則，你會跟著滾下去，被壓扁。
> 只有傻瓜才會站著不動。

> 不要怪罪神明，神明也在哭泣。
> 祂們看見人類從生命初始就相互殘殺，
> 也完全束手無策。

> 人生來就哭泣，當他哭夠了，就死了。

> 你說得很好，但說話不會讓你贏得戰爭。

　　日本戰國時期，一文字秀虎雄霸一方。70 歲時，他把領地一分為三，傳給三位兒子。老大與老二欣然領受，老三卻強烈反對，因而被趕出家門。秀虎以為可以安享晚年，兩個兒子的野心卻開始顯露。
● 1985 年出品　導演：黑澤明 Akira Kurosawa

一個叛徒會背叛他自己嗎？

July 25 | 福爾摩斯
Sherlock Holmes

千萬別在資料到手前妄下結論。
否則，你會扭曲事實去符合你的理論，
而不是用理論去證明你的事實。

　　發生一連串年輕女子凶殺案後，福爾摩斯和華生發現凶手是布萊克伍德公爵，他被捕卻毫無悔意。公爵似乎擁有強大力量，讓所有人都對他畏懼三分，還計劃以自己的死刑挑戰福爾摩斯。

● 2009 年出品　導演：蓋瑞奇 Guy Ritchie

人害怕還能勇敢，才是真勇敢。

July 26 | 日正當中
High Noon

要成為一個真正的男人，
需要的遠遠超過一副巨大、寬厚的肩膀。

> 我知道你有膽量，但我從來不覺得你有腦袋。
> 要相當聰明的人，才知道何時該退場。

　　警長因結婚而將卸任，原本計劃婚禮後離開鎮上，卻得知 5 年前的仇人趕來復仇。不顧妻子和居民反對，他決定隻身對抗惡徒，最後在妻子的幫助下擊退惡棍。

● 1952 年出品　導演：佛萊德辛尼曼 Fred Zinnemann

Dream

July
27 | # 星際效應
Interstellar

> 愛可以讓我們超越時間與空間。

> 一旦爲人父母，你便會成爲孩子未來的鬼魂。

> 我們總是藉由克服不可能，去定義自己。
> 我們看重這些時刻，那些勇於期望更高、
> 打破阻礙，去抵達群星、去證實未知的時刻。
> 我們看重這些，把它們當成最令我們驕傲的成就。

> 人類誕生在地上，不代表就得死在地上。

　　地球資源耗盡，人類失去了抬頭探索太空的動力，低頭在汙染與匱乏中掙扎求生。庫柏接受秘密任務，帶著基因庫飛向太空，尋找適合人類繁衍的新環境，追尋神秘線索，企圖全面改造地球。等待人類的命運只有兩種：救回地球，或是重新開始。

● 2014 年出品　導演：克里斯多夫諾蘭 Christopher Nolan

你可能必須在能再次見到你的孩子，
或者見到人類的未來之間做出選擇。

我們曾抬頭仰望天空，
思索人類將在星空何處落腳。
現在我們卻低著頭，擔心自己在塵世間的處境。

July
28 | # 岸上風雲
On the Waterfront

「你站在誰那邊？」
「我？我站在我自己這邊。」

嘿，你想知道我的人生哲學嗎？
先下手為強，免得他對你下手。

youyun.

對壞事坐視不管，
對知道的事保持沉默的人，
他們的罪孽，就和當年拿長矛刺耶穌身體，
看祂死了沒有的羅馬士兵一樣多。

　　紐約碼頭被黑幫頭目控制，工人挨餓受凍。特瑞在碼頭做工，朋友企圖揭發頭目惡行，而被特瑞的哥哥滅口。特瑞結識朋友的妹妹，她為工人伸張正義的決心令他傾心。當特瑞在黑幫忠誠與愛人情感間猶疑之際，哥哥卻收到命令，要殺死自己的弟弟……
● 1954 年出品　導演：伊力卡山 Elia Kazan

July
29 | **樂來越愛你**
La La Land

人們崇拜一切，卻不懂得珍惜。

如果你滿腦子都是傳統，你要怎麼成為一個革命家？
你固守過去，但爵士樂是關於未來。

　想成為演員，試鏡卻處處碰壁的小演員，與懷著爵士精神，卻落魄潦倒的鋼琴家，在充滿希望的洛杉磯相遇。他們一拍即合，互相鼓勵，朝著各自的夢想邁進。愛情使他們重獲勇氣，卻也築起重重阻礙。他們無法為了對方放棄夢想，最終成為彼此生命中最難忘的過客。

● 2016 年出品　導演：達米恩查澤雷 Damien Chazelle

July 30 │ 生命中的美好缺憾
The Fault in Our Stars

> 在這世上，人無法決定自己會不會受到傷害，
> 但可以決定是誰傷害你，
> 而我喜歡自己的選擇！

> 也許「好」，會成為我們的「永遠」。

> 她不想要一百萬個仰慕者，
> 她只想要一個，
> 結果她得到了。
> 或許她沒有獲得許多人的愛，
> 她卻獲得最深刻的愛。
> 這不是比我們大多數人得到的更多嗎？

　　隨時可能離世的癌末女孩，悲觀而憤世；曾因骨癌失去一隻腿的男孩，卻在殘缺當中找到自信。兩人於互助會相遇，男孩突破女孩的心防，改變了她對生命的看法，建立相互扶持的友情與愛情。兩顆同病相憐的星星，儘管擦出的火花稍縱即逝，卻是他們生命中最絢爛的回憶。

● 2014 年出品　導演：喬許布恩 Josh Boone

我愛上他就像你睡著的方式一樣：
慢慢的，然後一瞬間陷落。

July 31 | 怒火邊界
Sicario

你會懷疑我們做的一切事，但最後你會理解的。

> 你應該搬去別的小鎮，一個法治仍然存在的地方。
> 你在這裡無法生存，因為你不是一匹狼，
> 而這裡是屬於狼的土地。

聯邦調查局女探員奉命加入在美墨邊界追緝毒販的小組。他們的目標是逮捕一名勢力遍及各地，還涉嫌人口販賣、殺人曝屍等惡行的大毒梟。行動中，上頭的緝捕手段卻一再動搖她深信的執法理念。

● 2015 年出品　導演：丹尼維勒納夫 Denis Villeneuve

August 1 | 模仿遊戲
The Imitation Game

有時候，就是那個讓人意想不到的人，會做到超乎大家想像的事。

你知道人類為什麼會喜歡暴力嗎？因為那感覺很好。

人類發現暴力能帶來深層的滿足感。

但是如果移除滿足感，暴力本身就是空洞的。

　　二戰時，英國數學家圖靈受命破解德軍密碼。他著手創造能從萬種組合找出意義、會思考的電算機，過程中他的秘密卻意外洩漏。這場人與機器間的「模仿遊戲」，見證二戰局勢逆轉的關鍵，也揭密圖靈悲愴的一生。

● 2014 年出品　導演：摩頓帝敦 Morten Tyldum

Courage

戰地琴人
The Pianist

如果你們刺我們，我們不會流血嗎？

如果你們搔我們癢，我們不會笑嗎？

如果你們下毒害我們，我們不會死嗎？

如果你們對我們不公正，

我們難道不會復仇嗎？

「我不知道該如何感謝你。」

「感謝神，不用謝我。

是祂想讓我們活下去。

起碼，我們必須這樣相信。」

如果我一定得死，

我選擇死在自己的家中。

我不逃跑。

　　史匹曼是傑出的波蘭鋼琴家，納粹入侵，徹底摧毀他的平靜生活。身為猶太人，他被迫與家人拆散，展開驚險的逃匿。求生過程中，他目睹暴行，見證英勇，更體會跨越種族的人性光輝。

● 2002 年出品　導演：羅曼波蘭斯基 Roman Polanski

來，把手錶賣掉吧。食物比時間重要。

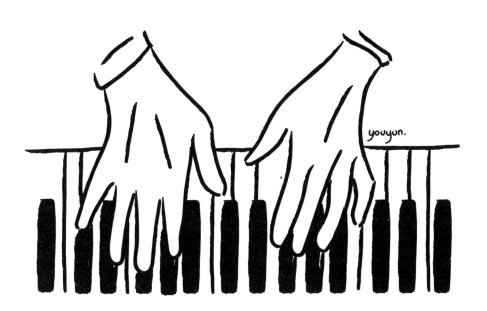

Dream

魔戒二部曲：雙城奇謀
The Lord of the Rings: The Two Towers

「故事裡的人們有許多機會回頭，但他們沒有。他們繼續前進，因為他們有所堅持。」

「我們堅持的又是什麼？」

「這世上仍有善良，而且值得我們奮鬥。」

佛羅多和山姆收服咕嚕，帶著魔戒前往末日火山；梅禮和皮聘成功招募樹人，重創薩魯曼的強獸人大軍；亞拉岡、勒苟拉斯和金靂來到洛汗國，和奇蹟復活的甘道夫聯手，幫助國王重振旗鼓，決一死戰。

● 2002 年出品　導演：彼得傑克森 Peter Jackson

August 4 | # 烈火悍將
Heat

我只說我相信的，我只做我說過的。

> 我知道生命短暫，無論得到多少時間，都是種幸運。

　　洛城警局重案組探長文森，打擊犯罪不遺餘力，家庭生活卻出狀況。尼爾是職業搶匪首領，感情空白，直到遇見一位書店女孩。尼爾有了成家的念頭，決定再幹一票就退休；而處在離婚邊緣的文森，決定逮捕這幫搶匪。

● 1995 年出品　導演：麥可曼恩 Michael Mann

August 5 ｜ 007首部曲：皇家夜總會
Casino Royale

為什麼那些聽不進別人建議的人，

總是堅持要給別人建議？

對於我們組織來說，知道誰是可以信任的，

遠比金錢來得重要。

搭下一班電梯吧。

這裡沒有足夠的空間容納我跟你的自大。

有時候我們花費太多注意力在敵人身上，

忘記了也要關心朋友。

　　初出茅廬的情報員詹姆士龐德剛晉升，獲得編號 007。他的第一個任務是追捕炸彈客。過程中，他循線追查到一名銀行大亨的恐怖組織。007 受命到皇家賭場與銀行家正面交鋒，贏得撲克比賽，殲滅恐怖組織。

● 2006 年出品　導演：馬丁坎貝爾 Martin Campbell

自大與自知很少同時出現。

Love

月光下的藍色男孩
Moonlight

你不需要愛我，但是你需要知道我愛你。

> 不要在我的房子裡垂頭喪氣了！
>
> 你知道我的規矩，這間房子裡只准有愛與驕傲！
>
> 懂了嗎？

　　沉默寡言的夏隆年少時飽受霸凌。他的遭遇悲慘，只有毒販尤安對他敞開心房。直到青年時期，他發現自己對凱文的情愫。困難的處境迫使他自我封閉，直到長大成人，才發現彼此都將情感埋藏心底。

● 2016 年出品　導演：巴瑞賈金斯 Barry Jenkins

靈慾春宵

August
7

Who's Afraid of Virginia Woolf?

一個即將溺死的人，會把最近的人拖下水。

> 你創立政府，創造藝術，
>
> 然後會發現它們，
>
> 必然會是同一件事。

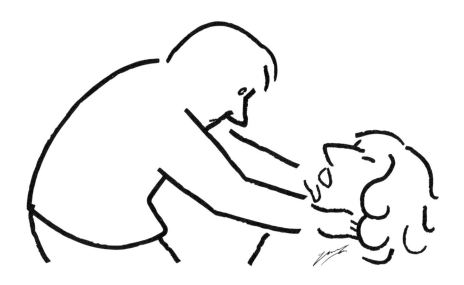

　　丈夫是教授，妻子是校長女兒，他時常得看太太眼色，心生不滿。某夜，這對失和的中年夫婦邀請一對年輕夫妻來訪。醉醺醺的他們不時互相嘲弄，太太更當眾羞辱丈夫。年輕夫妻無端捲入這場戰爭中，不得脫身。最後，衝突一發不可收拾，年輕夫妻的感情也遭毀滅……

● 1966 年出品　導演：麥克尼可斯 Mike Nichols

August 8 | 英國人在紐約
An Englishman in New York

你必須從內心深處尋找出獨特的自我，

當你找到了它，必須細心雕琢它，

直到它成為你的風格。

當一個人養了三十年的豬，突然回想往事時說，

我本來想成為一名芭蕾舞者，這就沒什麼意義了，

因為那時養豬已經成為你的風格。

往心裡看，不要問自己：

「外面是否有任何你想要的東西？」，

要問：「裡面是否有任何你還沒打開的東西？」

成為群體中的局外人，你會背負沉重的負擔，

但同時也享有巨大的快樂。

　　九零年代的英裔作家兼藝術家昆汀奎斯普描述自己初到紐約，如何愛上這座城市、成為公眾人物、發揮自己的影響力，並展現自己的人生哲學。

● 2009 年出品　導演：理查萊克斯頓 Richard Laxton

不要往前看，那裡有懷疑；
也不要往後看，那裡有後悔。

如果你的快樂完全倚賴別人的愛，
你永遠不會真正感到快樂。

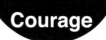

人害怕還能勇敢，才是真勇敢。

August 9 | 日落黃沙
The Wild Bunch

就算是我們當中最糟糕的人，
都希望能再當一次小孩。

　　六名搶匪策劃搶劫鐵路局來大撈一筆，鐵路局設下陷阱，找了他們的舊同伴組成騎兵團追擊。為逃避追捕，六人進入墨西哥。原本打算跟軍閥做生意的搶匪，看到居民遭軍閥壓榨而民不聊生，下定決心要殲滅軍閥。

● 1969 年出品　導演：山姆畢京柏 Sam Peckinpah

August 10 | 納尼亞傳奇：獅子・女巫・魔衣櫥
The Chronicles of Narnia: The Lion, the Witch and the Wardrobe

「我們能再回去納尼亞嗎？」

「喔，我希望可以。但，像之前一樣，或許是當你不再刻意尋找它時，它才會出現……最好張大雙眼，隨時保持警覺。」

當一個清白的受害者，被叛徒殺害時，石桌會裂開，連死亡本身也會逆轉。

　　四兄妹在大宅裡發現魔衣櫥，能帶他們前往神奇國度：納尼亞。王國由邪惡女巫統治，漫漫長冬延續百年，根據傳說，亞當之子與夏娃之女將結束災厄。他們仰賴對正義的信心，踏上對抗邪惡的冒險。

● 2005 年出品　導演：安德魯亞當森 Andrew Adamson

August 11 | 絕美之城
The Great Beauty

> 年滿六十五歲幾天後，
> 我發現最重要的事情，
> 是不能再浪費任何時間去做
> 我不想做的事情。

> 你不能談論貧窮，你必須活著度過貧窮。

> 懷舊有什麼不好？
> 對於那些對未來不抱信心的人來說，
> 這是唯一能讓他們轉移注意力的方法。

26 歲的傑普來到羅馬，憑著小說創作功成名就，從此開始糜爛的生活。他夜夜在派對裡狂歡、醉飲起舞、縱情獵豔，享受美女帶來的快感。直到 65 歲，他回顧自己的人生，卻感到無比空虛，決定把握晚年，重新尋找生命中的真正美麗。

● 2013 年出品　導演：保羅索倫蒂諾 Paolo Sorrentino

我們都處在絕望的邊緣，
能做的只有看著彼此，
陪伴對方，講點笑話……。
難道不是嗎？

Happy

August
12 | # 王牌冤家
Eternal Sunshine of the Spotless Mind

說個不停，不代表就是溝通。

花費那麼多時間在一個人身上，
最後卻只發現他是個陌生人，
這是多大的失落啊！

　　喬爾發現才剛分手的克蕾婷，竟然已經忘了他是誰！經過查訪，他找到
一家神奇診所，可以幫人清除記憶。喬爾懷著報復心理，要求醫生抹煞他
對克蕾婷的記憶。手術過程中，過去種種湧上心頭，卻讓喬爾重新體會記
憶的可貴。

● 2004 年出品　導演：米歇爾龔德里 Michel Gondry

August 13 ｜ 飲食男女
Eat Drink Man Woman

人心粗了，吃得再精也沒什麼意思。

人生不能像做菜，
把所有的材料都準備好了才下鍋。

　　大廚朱先生有三個沒結婚的女兒。為了家族聚餐，他總是大費周章準備，但往往不歡而散。某日，梁太太從美國回來，看上了朱先生，變化與衝突接二連三，家的樣貌也改頭換面。

● 1994 年出品　導演：李安 Ang Lee

August
14

火線追緝令
Se7en

迷失在毒品中，比為生活奮鬥容易多了。

偷走你想要的東西，比賺取它容易多了。

毒打一個小孩，比養育他容易多了。

愛是要付出代價的，它需要努力與勞動。

如果我們抓到這個凶手，發現他是惡魔，

是撒旦本人，那或許會符合我們的期待。

但他不是，他只是個人。

如果你不想留下這孩子，

那就永遠不要告訴他你懷孕了；

如果你決定生下來，

就好好抓住每個寵愛這孩子的機會。

　　一個以《神曲》七宗罪為藍本的連環殺手，在城市各個角落犯下駭人罪行。老鳥警探帶著新人奮力緝凶，當殘酷與不幸逐漸朝自己逼近，人是否能為理念奮戰到底？

● 1995 年出品　導演：大衛芬奇 David Fincher

想要別人聽你說話，
光拍他的肩膀是沒用的。
你必須用榔頭狠狠敲他。

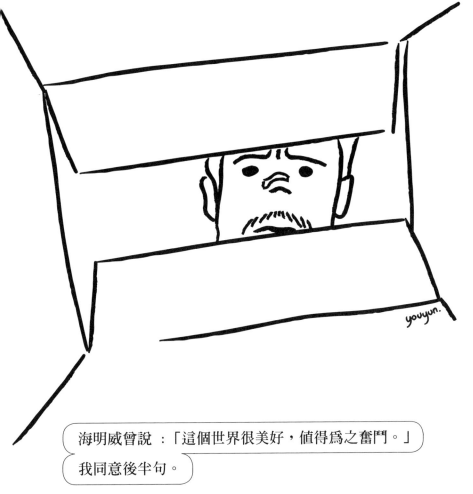

海明威曾說：「這個世界很美好，值得爲之奮鬥。」
我同意後半句。

August
15

十二怒漢
12 Angry Men

偏見總是模糊了真相。

別忘了，
真相可能會被敘述者的人格所遮蓋。

我並不知道真相是什麼。
我想沒有人會真的知道。

youyon.

　　一名男孩被控殺父，十二名陪審團成員中，只有一人認為他無罪。一場
大辯論因此展開，客觀、質疑、公正的精神也一一揭示。

● 1957 年出品　導演：薛尼盧梅 Sidney Lumet

August 16 | 早餐俱樂部
The Breakfast Club

我成為不了贏家，是因為我太想成為贏家。

其實我們都是怪人，
只是其中有些人比較會隱藏罷了。

別人叫你做什麼，
你都去做，這就是個大問題。

　　週六早上，五個留校察看的學生，他們來自學校裡相異的群體，各有各的問題。一日間，他們從相互敵視到敞開心房，共訴青少年在同儕、家庭和社會間的苦惱與掙扎。

● 1985 年出品　導演：約翰休斯 John Hughes

August
17 | # 倒帶人生
Mr. Nobody

> 每一條道路都是正確的，
> 一切都可以是另一種模樣，
> 並有著同樣重要的意義。

> 只要你不做出選擇，一切仍有可能。

> 那孩子以前不能做決定，
> 因爲他不知道會發生什麼。
> 現在，他知道會發生什麼，
> 卻還是做不了決定。

　　2092 年醫學進步，人類都能長生不老。尼莫現年 118 歲，是地球上最後一個會死亡的人。記者採訪他，發現他的記憶混亂。從他 9 歲父母離異，選擇跟爸爸還是媽媽走的時間點，開啓多種版本、相互重疊的人生……

● 2009 年出品　導演：賈柯凡多梅爾 Jaco Van Dormael

我不害怕死亡，我害怕活得不夠。

August
18 ｜ # 藥命俱樂部
Dallas Buyers Club

有時候我覺得，
我在為一個沒有時間生活的人生奮鬥。

　　一名工人兼牛仔感染愛滋病，當時唯一批准的藥物是 AZT。他在接受治療後病情惡化，無奈之下只得另尋出路，開始研究地下藥物買賣，幫助許多跟他同病相憐的人，此舉受到藥管局和藥商的阻撓和施壓。

● 2013 年出品　導演：尚馬克瓦利 Jean-Marc Vallée

August 19 ｜ 口白人生
Stranger Than Fiction

我們必須記住所有的細節與異常，
那些被我們視為理所當然的事物，
他們的存在其實有著更巨大且崇高的目的。

　　國稅局查帳員過著充滿數字、日復一日的規律生活。一天，他忽然聽見如小說般的旁白，在耳邊描述他的人生。這個只有他聽得見的聲音，開始操縱他的日常、喜好、決定……嚇壞了的他，決定不按照原先的生活規律走，他能改變命運嗎？

● 2006 年出品　導演：馬克福斯特 Marc Forster

August 20 ｜ 愛在日落巴黎時
Before Sunset

> 沒有人是可以被取代的，
> 因為每個人都是由如此美麗、
> 特殊的細節打造而成的。

> 當你年輕時，你相信會有許多人可以和你產生聯結。
> 年老後，你了解到，其實那只會發生幾次。

> 人生本來就很難。
> 如果我們不受苦，
> 就永遠學不到東西。

> 就算是孤單一人，
> 也比坐在你的戀人身旁卻感到孤單來得好。

　　傑西在書店辦講座時巧遇舊愛席琳。他利用在巴黎僅剩的時間跟席琳談天，想用最短的時間知道對方9年來的境遇。兩個投緣的心靈舊識重逢，試圖親近卻不敢碰觸，只怕一越界就全盤皆輸。

● 2004 年出品　導演：李察林克雷特 Richard Linklater

如果你不用承擔過去的話，
記憶是個美好的東西。

每一段關係結束時，都重重的傷害了我，
我從未真正復原。
這就是為什麼我對於感情總是小心翼翼，
不敢輕易陷入。

August 21 | 索命黃道帶
Zodiac

你不能證明它，不代表它就不是真的。

> 我不是凶手。如果我是，
> 也一定不會告訴你。

　　六零年舊金山的「黃道帶殺手」挑釁警方，宣稱殺人無數。他犯案前後去信媒體，附上密碼聲明犯罪計畫。警察四人組從證據與倖存者口中緝捕凶手，案情卻撲朔迷離，危及他們的性命與生活，留下一樁未解懸案。

● 2007 年出品　導演：大衛芬奇 David Fincher

August 22 | 華爾街之狼
The Wolf of Wall Street

風險就是保持年輕的秘訣。

> 擋在你和目標之間的唯一障礙，
> 就是那些你不斷告訴自己
> 「為什麼無法達成目標」的爛故事。

　　貝爾福從底層聯絡員發跡，吸收了華爾街投機的秘密。他自立門戶，以謊言迅速擴張，員工破千，自己週薪百萬。富裕與壓力，讓他縱情聲色，享樂與死亡只在一線之間。

● 2013 年出品　導演：馬丁史柯西斯 Martin Scorsese

August 23 | # 魔戒三部曲：王者再臨
The Lord of the Rings: The Return of the King

我們的旅程並不會終結於此。

死亡只是另一條途徑，

一條我們都必須接受的途徑。

我不會叫人不要哭泣，因為眼淚並不邪惡。

「我從來沒想過，會與一個精靈並肩戰死。」

「那麼與一個朋友並肩戰死呢？」

「好，這我做得到。」

中土世界集結人類、矮人、精靈的力量，聯手抵抗魔君索倫。世界存亡的關鍵，掌握在兩名哈比人手中。他們長途跋涉到末日火山，摧毀至尊魔戒，終結邪惡的勢力。

● 2003 年出品　導演：彼得傑克森 Peter Jackson

我不能爲你背負你的任務，
但我可以背著你！

August 24 | # 小公主
A Little Princess

你必須相信魔法，魔法才有可能成真。

每個女孩都是公主！就算住在老舊的小閣樓、

穿著破布、長得不夠漂亮，

或是不夠聰明、不夠年輕，她們還是公主！

我們所有人都是公主！

　　與父親相依為命的少女來到美國的寄宿學校。體貼且熱情的她，馬上成為同學們最喜歡的夥伴。一天捎來父親逝世的消息，變成孤兒的少女被關進閣樓。她憑著純真善良的心與豐富想像力，與好友一起突破種種難關。

● 1995 年出品　導演：艾方索柯朗 Alfonso Cuarón

August 25 | 光榮之路
Paths of Glory

**戰場上發生太多事情了，
一定有人會受傷，
唯一的問題是：
受傷的是誰？**

沒有什麼鼓勵和刺激，
比看到別人的死亡更直接的了。

一次大戰，法國將軍向陸軍上尉下令，要不惜代價攻佔德軍陣地。輕率的軍事行動，造成慘烈失敗與傷亡。將軍為了卸責，逮捕三名士兵，以臨陣脫逃的罪名判處死刑。上尉挺身為部下辯護，在過程中看清軍隊的醜陋。

● 1957 年出品　導演：史丹利庫柏力克 Stanley Kubrick

August 26 | 兔嘲男孩
Jojo Rabbit

「當你自由時，想做的第一件事是什麼？」

「跳舞。」

我的天！他的臉扭曲的像畢卡索的畫。

你不是納粹分子，

你只是個愛穿愚蠢制服的十歲孩子，

一心想著融入團隊。

「我看起來好笨。大家會一直看我。」

「享受他人的目光吧，孩子。

不是每個人都像你如此幸運，能夠看起來笨笨的。」

「希特勒」說：我們把房子燒了，然後說是邱吉爾做的。

　　充滿愛國情操的德國小男孩，渴望進入納粹少年團為國爭光，他還常和他的幻想朋友「希特勒」聊天。幽默開明的媽媽卻將一名猶太女孩藏於家中，一來一往的對話中，男孩盲目的愛國思想與種族偏見也慢慢瓦解。

● 2019 年出品　導演：塔伊加維迪提 Taika Waititi

讓一切自然發生，美麗及恐懼，
儘管向前行，沒有感受才是真正的終點。

給你一個超好的建議，學學兔子，
不起眼的兔子能智取所有敵人，牠勇敢、敏捷、堅強。
當隻兔子吧。

August 27 | 花樣年華
In the Mood for Love

那些消逝了的歲月，彷彿隔著一塊積著灰塵的玻璃，看得到，抓不著。

他一直在懷念著過去的一切。

如果他能衝破那塊積著灰塵的玻璃，他會走回早已消逝的歲月。

　　在六零年代的香港，蘇麗珍與丈夫、報社編輯周慕雲與太太，同時搬進公寓相鄰的房間。察覺配偶結成婚外情，被拋棄的兩人相互取暖、討論對策，不料愛慕之情悄悄生出。受困於一個壓抑的年代，這段關於愛、恨與復仇的故事注定刻骨而失落。

● 2000 年出品　導演：王家衛 Kar-Wai Wong

August 28 | 愛爾蘭人
The Irishman

要衝向別人，你永遠得拿槍！
如果拿的是刀，你就得逃跑。

一個好的政客絕對不會尷尬，
這點你應該記牢。

一個年老的黑幫殺手，回憶一生在犯罪世界中，經歷權力、利益與政治的流變，見證上世紀美國黑手黨的輝煌與敗落。

● 2019 年出品　導演：馬丁史柯西斯 Martin Scorsese

August
29 | 一代宗師
The Grandmaster

> 習武的人有三個階段：
> 見自己、見天地、見眾生。

> 世間所有的相遇都是久別重逢。

> 功夫，兩個字：
> 一橫一豎。
> 錯的躺下了，對的站著。

> 憑一口氣點一盞燈，
> 念念不忘，必有回響，
> 有燈就有人。

在武士會會長宮寶森引退儀式上，詠春高手葉問出戰得勝，其女宮若梅再次挑戰，贏回一仗，兩人眼神交會，深知相遇在錯的時機。日本侵華，宮寶森徒弟成漢奸，將師父打死。女兒為父復仇，戰勝後卻嚴重內傷。歷經時代動盪與現實考驗，宗師們失去摯愛、流亡異鄉，走向各自的道路。1950 年，葉問始傳詠春，與宮若梅重逢……

● 2013 年出品　導演：王家衛 Kar-Wai Wong

寧可一思進，莫在一思停。

August 30 | 自由之心
12 Years a Slave

1841 年，所羅門是一位自由的黑人，在紐約從事小提琴演奏。一天，兩個白人以聘用樂師的名義，把所羅門請到華盛頓，隨後灌醉他。他醒來後，發現已被賣為黑奴。他不斷辯稱自己是自由民，換來的卻是拳腳與鞭打。他被送往南方，在嚴酷的奴隸主手下，經歷了悲慘的為奴生涯。然而，他始終沒放棄對自由的盼望……

● 2013 年出品　導演：史提夫麥昆 Steve McQueen

August
31

白日夢冒險王
The Secret Life of Walter Mitty

生命是關於勇氣，
及探索未知。

美麗的事物不會要求別人的注目。

開拓視野，突破萬難，看見世界，
貼近彼此，感受生活，
這就是生命的目的。

　　為了一張遺失底片，上班族米堤踏上尋找攝影師的路。他愛做白日夢，但直到踏出腳步，他才真正經歷驚心動魄的冒險、目睹壯美的山川。旅程中，他領略到把握當下、感受人生，才是生命的實質意涵。

● 2013 年出品　導演：班史提勒 Ben Stiller

September 1 | 謎樣的雙眼
The Secret in Their Eyes

一個男人可以改變任何東西，
他的容貌、房子、家庭、女朋友、信仰、神。
但有樣東西他無法改變，那就是「熱情」。

假如你一直活在過去，
你最終只會困在無數個過去，
沒有未來。

最糟糕的是，我已開始遺忘。
我必須不斷讓自己想起她，
每一天都要。

退休律師班傑明正在寫一本小說，想藉此化解一生的兩大遺憾：新婚妻子的姦殺案，真兇不知去向，以及他與女上司說不出口的感情。寫作勾起了不絕的回憶，班傑明決定重啓對兇案的追查，這將帶他體會愛情的本質。
● 2009 年出品　導演：胡安荷西坎培內拉 Juan José Campanella

慎選你想要記得什麼。
因為我們最終擁有的只有回憶，
起碼要選好一點的。

September
2

戀愛沒有假期
The Holiday

如果你是一首歌，我只會用最美的音符來譜曲。

一部電影通常會有一個女主角，和一位她最好的朋友。

你呢，看得出來，是女主角的命，

但卻總是扮演那位好朋友。

　電影公司老闆與報社編輯，兩個陷入低潮的女子，在網路上約好交換兩星期的住所，供對方度假。一個來到寒冷的倫敦鄉間小屋，一個來到陽光普照的洛杉磯豪宅，各自體驗不一樣的生活。美好緣分將她們拉出低谷，重新愛上生活。

● 2006 年出品　導演：南茜梅爾斯 Nancy Meyers

所有不完美的事物都需要愛。

September 3 ｜ 暮光之城：無懼的愛
Twilight

「獅子就這樣愛上了羊。」

「多麼愚蠢的羊。」

「多麼有病、自虐的獅子。」

「我再也沒有能力遠離你。」

「那就不要遠離我。」

　　特立獨行的女孩搬到一個小鎮，她與永生不老的吸血鬼互相吸引，兩人墜入愛河無法自拔，在情慾與獸性之間掙扎。

● 2008 年出品　導演：凱薩琳哈德維克 Catherine Hardwicke

341

Hate

September
4

黑色追緝令
Pulp Fiction

> 驕傲只會帶來痛苦，從來不會帶來幫助。

> 正義之士的道路，
> 為自私之人的不平等與惡人的暴政所包圍。

> 拳擊這門行業充滿了不切實際的笨蛋，
> 以為自己跟酒一樣越老越香。
> 如果你是指變成醋，那沒錯。
> 如果你是指味道變好，那可不是。

兩個凶狠的黑幫殺手、一個黑幫女人、一個不服從的拳擊手，加上一箱神秘的寶物，交織出最荒誕又最合理的故事。

● 1994 年出品　導演：昆汀塔倫提諾 Quentin Tarantino

當你可以安心的閉嘴一分鐘，

舒舒服服的享受沉默時，

你會知道，你遇到對的人了。

September
5 ｜ # 魔幻至尊
The Illusionist

「他騙了你，
這一切都是幻術！」
「或許這幻術中
仍有真實。」

自從進入人生，我們就在一道水流裡。
我們測量它、標記它，但無法違抗它。
我們甚至無法讓它加快或慢下來。

　　20 世紀初的大魔術師，在維也納的舞台與初戀重逢，舊情復燃。愛人卻因婚約，捲入王室鬥爭慘遭謀殺，引來探長介入。魔術師召喚亡者魂魄，直指王儲為凶手，但探長懷疑，這一切只是魔術師為與愛人廝守，籌劃出的巨大騙局……

● 2006 年出品　導演：尼爾柏格 Neil Burger

344

人害怕還能勇敢，才是真勇敢。

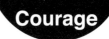
Courage

<table>
<tr><td>September
6</td><td>與狼共舞
Dances with Wolves</td></tr>
</table>

生命的所有小徑中，有些是最重要的。
那就是，成為一個真正人類的那條小徑。

生命的詭異是無法測量的。
在走向死亡的同時，我竟然被提升到了英雄的境界。

　　中尉鄧巴是南北戰爭的英雄，傷癒後他到西部駐守。西部是荒野、狼與印地安的世界，他與蘇族印地安人建立真摯的情誼，與女子相戀成婚，並獲印地安名「與狼共舞」。草原卻面臨白人侵略，鄧巴被視作叛徒，蘇族人也受脅迫放棄歸屬。

● 1990 年出品　導演：凱文科斯納 Kevin Costner

September
7 ｜ 千鈞一髮
Gattaca

> 我不過借給你，我的身體；
>
> 你卻借給我，你的夢想。

> 如果第一次沒有成功，再試一次，然後再試一次。

> 你想知道我怎麼辦到的嗎？
>
> 秘訣就是：
>
> 我從來不為回程保留一絲體力。

> 有趣的是，你這麼努力工作，
>
> 做了一切你可以做的事情去遠離一個地方，
>
> 而當你總算有機會離開時，
>
> 卻發現留下來的理由。

　　未來世界，人類可選擇優良基因生育下一代。文生是自然生育出的「無價人」，他因基因缺陷飽受歧視，夢想卻是成為太空人。他透過交易，獲得基因完美男子的毛髮、血液，冒充身分追求夢想。但一場凶案，讓他的秘密面臨被拆穿的危機……

● 1997 年出品　導演：安德魯尼可 Andrew Niccol

人的命運沒有基因之別。

September
8 | # 噩夢輓歌
Requiem for a Dream

我愛你，因為你讓我感覺像個人。

我是我自己，而且美麗。

> 「賺錢從來不是問題。」
>
> 「那什麼才是問題？」
>
> 「用什麼方式賺錢。」

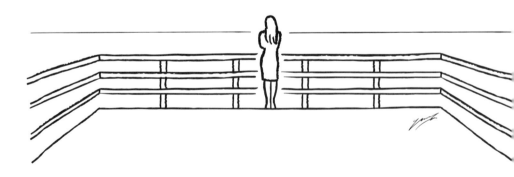

　　哈利想靠販毒致富，離開守寡的母親莎拉，與好友成為小藥頭。他們開始賺錢，卻染上毒癮。莎拉知道有機會上電視，大量服用減肥藥，人生只剩螢幕。夢想令她忘卻孤獨，卻顯得如此虛浮。

● 2000 年出品　導演：戴倫艾洛諾夫斯基 Darren Aronofsky

September
9

天堂陌影
Stranger Than Paradise

很有趣，你來到一個新地方，
所有東西看起來卻沒有兩樣。

　　來自布達佩斯的少女前往美國，住在表親家。表親對於要收留少女感到不耐，隨後拉了兄弟進來，三人卻成了好友。不久，少女搬去與阿姨同住，留下兩人。直到他們玩撲克牌贏了大獎，決定花掉贏來的錢去找少女。

● 1984 年出品　導演：吉姆賈木許 Jim Jarmusch

Love

September
10

愛情決勝點
Match Point

> 人們害怕承認「運氣」對人生有多重要。
> 一想到有這麼多事情在我們的掌控之外，
> 就令人恐懼。

> 「他失去雙腿後，就遇見了耶穌。」
> 「抱歉，但我覺得這好像不是公平的交易。」

> 你必須學習把愧疚放進地毯，
> 然後繼續前進，
> 否則愧疚會壓倒你。

　　沒沒無聞的網球教練和富家子弟成為摯友，並迎娶他妹妹為妻，人生從此平步青雲。他卻不滿足於上流社會的生活，與好友的未婚妻發生婚外情。這段感情最終迫使他面對最殘酷的選擇。

● 2005 年出品　導演：伍迪艾倫 Woody Allen

在危機來臨前，你永遠不能知道
你鄰居是什麼樣的人。

September
11

悲慘世界
Les Misérables

去愛別人，
就能看見
上帝的臉龐。

> 在這裡，我們曾為自由而戰，
> 如今卻只為爭一口飯。
> 這就是所謂的平等，面對死亡時，人人平等。

　　法國大革命前夕，民不聊生。男子獲假釋，一出獄就遇上現實的殘酷。獲得主教的幫助後，他翻轉人生，當上市長兼廠長。手下女工被誣陷而淪落街頭，他因歉疚而認養她女兒。慘況延續到法國大革命，人民積怨已久，爆發流血衝突，眾人的命運全盤改變……

● 2012 年出品　導演：湯姆霍伯 Tom Hooper

September 12 | 貧民百萬富翁
Slumdog Millionaire

「一個貧民能知道什麼？」

「知道答案。」

> 金錢與女人，是人犯錯的最大原因。

　　孟買貧民窟的端茶少年，參加益智節目，竟抱走兩千萬盧比巨額獎金。一夜致富的他，被列為詐欺犯，受嚴刑訊問。堅持沒作弊的他，回憶起每個正確答案背後的辛酸故事。原來，他參加節目的真正目的，是為救出心愛的女孩……

● 2008 年出品

導演：丹尼鮑伊 Danny Boyle、洛芙琳坦丹 Loveleen Tandan

September
13 | # 阿拉斯加之死
Into the Wild

> 我曾讀到，在生命中並不需要變得強壯，
> 而是需要感到堅強。

> 痛苦似乎讓他們更親近……
> 因為失去，人們會在反省中放下身段。

> 如果我們承認人生能夠被理性支配，
> 那麼生命的可能性將被摧毀。

> 人類靈魂的核心來自於嶄新的體驗。

> 快樂只有在分享時，才是真實的。

　　克里斯厭惡現代社會，一畢業就捐出所有存款，獨自走進阿拉斯加。克里斯體會大自然的純淨，認為這才是上帝賜給人的快樂。隨著旅途不斷深入，他認識一個個真誠的人，讓他重新領會，生命的最高意義在於人與人的連結。

● 2007 年出品　導演：西恩潘 Sean Penn

我覺得「職業」是
二十世紀的發明，
我不想要一個「職業」。

42

洛基
Rocky

「為什麼你想打拳擊？」

「因為我不會唱歌，也不會跳舞。」

「愛因斯坦被學校退學過兩次。」

「真的假的？」

「真的。貝多芬耳聾，海倫凱勒眼瞎，
我想洛基大有可為。」

　　洛基是過氣拳擊手，他空有熱忱，苦無機會。直到他愛上女售貨員，重燃對拳擊的信心。機會終於來到，他刻苦訓練，走上拳臺，迎向屬於他的挑戰和考驗。

● 1976 年出品　導演：約翰艾維森 John G. Avildsen

September
15 | # 烈火焚身
Incendies

我們挺身捍衛的是和平，不是宗教！

> 死亡從來不是故事的結尾，
> 它總會留下痕跡。

　　一位母親離世前，留下遺囑給一對兒女：「不要為我立碑，讓我赤裸的面朝下，因為我無法達成諾言，回到祖國黎巴嫩，找回你們的爸爸與哥哥。之後，你們可以將我安葬。」於是姊弟開啟一場尋親之旅……

● 2010 年出品　導演：丹尼維勒納夫 Denis Villeneuve

September
16 | # 午夜狂奔
Midnight Run

「我們一起去吃早餐吧。」

「我不吃早餐的。」

「那去吃早一點的午餐，我們走！」

「我沒受傷！」

「我問你有沒有受到傷害，你說有啊！」

「是你設局讓我說的！」

「傑克，你是成年人了，你可以決定要說什麼呀！」

「你說得對！我現在就奉送你一句：閉上你的狗嘴！」

「你看起來不像罪犯耶。」

「我是個白領罪犯。」

現在是笨蛋一號嗎？麻煩請笨蛋二號過來聽電話。

　　被革職的警員為了獎金，緝捕盜用黑錢的會計師，他用一副手銬銬著彼此，預計在週五午夜前將他押送到洛杉磯。不料旅程中，黑幫人馬和FBI都插手搶人。兩人一個為賺錢、一個為保命，展開一場刺激逗趣的逃亡。

● 1988年出品　導演：馬丁布萊斯特 Martin Brest

知道你爲什麼會得胃潰瘍嗎？

因爲你只會兩種表達方式：

沉默和憤怒。

September 17 ｜ 燃燒女子的畫像
Portrait of a Lady on Fire

當你觀察我時，你想我在觀察誰？

youyun.

> 在孤寂中，我感受到你說的自由。
> 但是，我也感受到你不在我身邊。

　　年輕女畫家受託到孤島，為一名富家女子畫婚前肖像，送給愛慕者。女子不願出嫁，氣走數名畫家。畫家必須隱藏身分，偷偷進行任務。白天與女子相處，觀察她的表情與動作，夜深人靜時再憑記憶作畫。相處期間，她們萌生烈火般的情愫，於充滿束縛與禁忌的年代，共享一段私密的時光。
● 2019 年出品　導演：瑟琳席安瑪 Céline Sciamma

September
18 | # 神鬼獵人
The Revenant

神給予的，
神也可以拿走。

> 暴風雨來臨時，你站在一棵樹前。
> 如果單看它的枝條，你發誓這棵樹會倒下。
> 可是如果你看的是樹幹，就會發現它有多麼穩固。

> 他們聽不見你的聲音！
> 他們只看得見你臉上的膚色！

美國西部拓荒時代，一群毛皮獵人遇熊攻擊，格拉斯身負重傷，遭夥伴棄置荒野、殺害其子。被原住民所救奇蹟存活的他，跋涉千里尋仇，替自己討回公道。

● 2015 年出品　導演：阿利安卓崗札雷伊納利圖 Alejandro G. Iñárritu

September
19 | # 銀翼殺手
Blade Runner

> 燃燒出雙倍亮度的光，
> 燃燒的時間也只會有一半。

> 她不能活下去真是太遺憾了。
> 但想一想，又有誰是真的活著呢？

> 活在恐懼中是多麼不平凡的經驗啊？
> 這就是當奴隸的感受。

> 我們複製人不是電腦，
> 我們是血肉之軀。

　　戴克退役前是頂尖的銀翼殺手，專門獵捕失控的複製人。為了逼人類延長他們的壽命，一批新型複製人叛變，四處發起恐怖攻擊。戴克復出追殺犯人，在複製人總部，結識美麗優雅的複製人秘書瑞秋。他在與複製人的連番搏鬥中，體會複製人的人性，內心的矛盾不斷擴大……

● 1982 年出品　導演：雷利史考特 Ridley Scott

這些非凡的時刻，如同淚水落入雨中，
都將流失在時間裡。

| # 美國黑幫
American Gangster

房間裡最大聲的人，就是房間裡最弱小的人。

成功，會樹立敵人。
你可以選擇成功而有敵人，
或是不成功而有朋友。

　　法蘭克是紐約的黑人名流，生活體面，私底下卻是個大毒梟，手段凶殘，毫無良知。警官李奇生活混亂放蕩，但深具道德勇氣，決心制止法蘭克，挖出他的罪證。正邪交鋒，兩人激發出超越敵人的關係。

● 2007 年出品　導演：雷利史考特 Ridley Scott

September
21

神鬼玩家
The Aviator

你不在乎錢，是因為你一直都很有錢。

不要告訴我，我做不到；不要告訴我，這不可能辦到！

　　出生富裕的霍華休斯，擁有完成夢想的所有條件。他是電影製片，公認的好萊塢花花公子，也打造沙漠中的拉斯維加斯，成為賭城飯店經營者。他還著手設計、試飛大型木製飛機，打破世界飛行紀錄。驀然回首，才發現一切或許是為了彌補童年的缺憾⋯⋯

● 2004 年出品　導演：馬丁史柯西斯 Martin Scorsese

September
22

原罪犯
Oldboy

> 復仇對你的健康有益，
> 但痛苦會再次降臨到你身上。

> 記住，
> 一塊岩石或一把散沙，
> 它們在水裡都一樣會沉沒。

> 就算我沒比一隻禽獸好多少，
> 難道我沒有活下去的權利嗎？

　　吳大秀在女兒出生那天酒醉鬧事被捕，之後神秘失蹤。他被擄走並囚禁在不見天日的房間裡，藉由電視得知妻子已遭謀殺，自己成了最大嫌犯。日復一日，大秀無法得知自己被囚的原因，年復一年，只能在絕望中等待囚禁者對他的發落。

● 2003 年出品　導演：朴贊郁 Chan-wook Park

笑的時候，全世界跟你一起笑。

哭的時候，你只能自己一個人哭。

September 23 | 週末夜狂熱
Saturday Night Fever

總有方法能殺死你，卻不會真的殺死你。

「你可以存一點錢，打造一個未來。」

「喔，管他的未來！」

「不，東尼！你管不了未來，

未來會來管你！

如果你不好好規劃未來，

未來就會跟著你，控制你！」

　　東尼白天是油漆工，晚上是舞廳舞王，目標是贏得迪斯可大賽。他熱情邀請厲害的女舞者共組搭檔，勤加練習。東尼與朋友在音樂中搖擺身體、放縱自我，即使面對現實打磨，也堅持跳自己的舞。

● 1977 年出品　導演：約翰貝德漢 John Badham

September 24 ｜ 愛是一條狗
Amores Perros

耍狠不會讓你變得聰明。

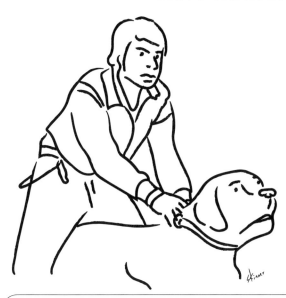

過去，我以為有比陪伴女兒和妻子更重要的事情。
我想先讓這個世界步上正軌，再分享給我的家人。
如你所見，我失敗了。

　　男子看不慣自己的混混大哥，甚至愛上大嫂。他攜狗參加鬥犬大賽，希望賺到旅費與嫂子私奔；名模和有婦之夫私下同居，有天狗鑽進地板縫隙，怎麼都拉不上來，竟造成始料未及的嚴重爭吵；一位貧窮的獨居老人，真實身分竟是職業殺手。一場嚴重車禍，串起三方人馬，影響了各自的命運。
● 2000 年出品

導演：阿利安卓崗札雷伊納利圖 Alejandro G. Iñárritu

September 25 | # 意外
Three Billboards Outside Ebbing, Missouri

> 只要你還抓住這麼多仇恨不放，
> 我不覺得，你會成為我知道你想成為的人。

> 「嘿，豬頭！」
> 「幹嘛？」
> 「在人家走進來叫你豬頭時，
> 不要說『幹嘛』，迪克森！」

> 如果死後還有別的地方的話，也許我會再見到你。
> 如果沒有……
> 此生認識你，已令我置身天堂。

　　蜜兒芮德的女兒慘遭殺害，七個月仍未破案。她出資在小鎮外立起三塊廣告牌，控訴警長辦案不力。這在保守小鎮上引起大風波，多方威脅朝蜜兒芮德襲來，她堅持不退讓。警察狄克森對她最不滿，爭鬥節節上升，眼看就要吞噬兩人……

● 2017 年出品　導演：馬丁麥多納 Martin McDonagh

所有的憤怒，都只會帶來更大的憤怒。

愛會帶來平靜，平靜會帶來思考，
而你需要思考才能辦案。
這就是你需要的一切，你甚至不需要槍，更不需要恨。
恨從來不能解決問題，但是平靜可以，思考也可以。

「你是什麼東西，白癡嗎？」
「不要叫我白癡！」
「我沒叫你白癡，我是在問你是不是白癡……
那是個問句。」

September
26

銀翼殺手2049
Blade Runner 2049

痛苦提醒了你，
那些你所感覺到的喜悅是真實的。

（這世界上一切的勇氣，都不能改變事實。）

　　複製人被創造作為奴隸，叛逆的複製人則遭「銀翼殺手」追捕。2049年，世界仍處混亂，複製人 K 為新一代銀翼殺手，追緝在逃同胞。一具屍體顯示複製人曾繁殖，讓人類與複製人的界線模糊，K 則展開一場自我意義的探尋。

● 2017 年出品　導演：丹尼維勒納夫 Denis Villeneuve

September
27 | # 聖戰奇兵
Indiana Jones and the Last Crusade

考古學尋找的是事實，不是眞理。

　　印地安納瓊斯的父親亨利瓊斯，因尋找傳說中的聖杯而失蹤。瓊斯出發尋找父親與聖杯，納粹黨人也出動尋找聖杯，企圖得到神奇力量。疏離的父子必須聯手對抗納粹，避免聖杯落入德國手中。

● 1989 年出品　導演：史蒂芬史匹柏 Steven Spielberg

September
28

阿南德
Anand

生命應該寬大，而不是漫長。

我們把未來的悲傷抓來，毒害今日的歡樂。

當徒弟接近死亡時，
他會教導老師如何活著。

如果你因為害怕死亡而停止生活，
那就比死亡更糟糕了。

　巴布是一位熱心的名醫，時常因為無法治癒病患感到自責，人生變得消沉悲觀。同事介紹下，他認識了淋巴癌末期的病人阿南德。他只剩不到 6 個月生命，卻每天露出笑容，開朗、幽默、善良的對待身旁每一個人。
● 1971 年出品　導演：赫里希克什穆凱爾吉 Hrishikesh Mukherjee

痛苦自己承擔，喜悅分享給他人。

September 29 | 靈魂的重量
21 Grams

有好多事情必須發生，兩個人才能遇見彼此。

> 你知道一個人獨自吃飯，會損壞腎臟嗎？

　　克莉絲汀擁有幸福家庭，有天丈夫與兩個孩子卻被車撞死；傑克進出監獄後信仰上帝，輔導許多不良少年，卻在生日當天撞死了三個人；保羅病重，正在等待心臟移植，等到的是一位車禍罹難者的心臟。三段截然不同人生，竟產生意想不到的交集。

● 2003 年出品

導演：阿利安卓崗札雷伊納利圖 Alejandro G. Iñárritu

September 30 | # 令人討厭的松子的一生
Memories of Matsuko

人的價值，不在於他得到什麼，
而是他可以給予別人什麼。

一個人是地獄，兩個人也是地獄，
兩個人總比一個人孤孤單單的好。

生而為人，我很抱歉。

松子橫死在河邊，姪子整理遺物，回溯姑姑悲慘的一生。她被趕出任教的學校，從此墜落底層，經歷暴力、賣身、牢獄，卻始終夢想幸福，執著愛戀。不斷沉淪的人生，終止在松子死亡那日。

● 2006 年出品　導演：中島哲也 Tetsuya Nakashima

所有不完美的事物都需要愛。

October 1 ｜ 分居風暴
A Separation

你難道從沒想過，自己為什麼想離開這個國家嗎？

因為每當困難來臨時，你總是選擇放棄，

而不是正面迎戰。

「這個國家有很多孩子。

難道你覺得他們都沒有未來嗎？」

「我不希望我的孩子在這種情況下長大。

這是我作為母親的權利。」

「哪種『情況』？」

「他，已經不記得你是誰了。」

「他不記得我，但我知道，他就是我爸爸。」

納德和希敏是一對夫妻，因為女兒的教育問題鬧上法院。希敏認為伊朗的教育環境欠佳，希望舉家移民，給女兒更好的未來；納德為了照顧失智的父親，堅持留下來。兩人只能分居，納德請朋友的弟媳來幫傭，引來一連串的誤會、意外與衝突。

● 2011 年出品　導演：阿斯哈法哈迪 Asghar Farhadi

無論出自誰的嘴，或寫在哪裡，
錯的事情就是錯的。

October 2 | # 神鬼認證：最後通牒
The Bourne Ultimatum

我的第一準則是，抱持最高的期許，
保有最壞的打算。

你和我一樣清楚，倉促之中所做的決定，
絕對不會完美。

　　摯愛遭殺害後，曾是頂尖殺手的包恩，展開報復行動。中情局與國防部
合作，訓練新一代職業殺手，執行機密暗殺行動。他們深怕失去記憶的包
恩會背叛他們，開始追殺他。包恩一面躲避殺手與各方追捕，一面直視揮
之不去的陰暗過去、步步揭露自己的真實身分……
● 2007 年出品　導演：保羅葛林葛瑞斯 Paul Greengrass

October 3 | 阿凡達
Avatar

所有能量都只是借來的，
總有一天你得還回去。

我們的大地之母從不會選邊站，
她保護的是生態平衡。

有時候，你的一生會歸結於一次瘋狂的行動。

　　人類為掠奪潘朵拉星球的資源，製造出能由人操控的當地住民納美人身體「阿凡達」，以蒐集情報，獲取信任。一名退役軍人控制阿凡達，學會傾聽大自然的律動，和奇珍異草、空中巨獸互動。未料身分暴露，與納美公主日久生情的他，深陷人類與納美人間的掙扎……

● 2009 年出品　導演：詹姆斯卡麥隆 James Cameron

October
4

以父之名
In the Name of the Father

> 我最深刻的童年記憶，是牽著你的手。
>
> 我小小的手在你大大的手中，
>
> 伴隨著菸草味。
>
> 記憶中，我聞得到你掌心的菸草味。
>
> 每當我想感覺到快樂，
>
> 我會試著回想那菸草的味道。

> 「我希望你能表現出一些尊敬。」
>
> 「對誰？」
>
> 「對你自己。」

　　北愛爾蘭人蓋瑞在暴動之後，逃到英格蘭生活。一晚，他潛入住家行竊，一間酒吧同時爆炸。同住室友竟向警方誣賴蓋瑞是主嫌。他帶錢返鄉後，遭到警方逮捕，屈打成招，造成自己與父親、妹妹被捕入獄。長年苦難加深父子間的理解，但也奪去父親性命。他誓言為父親伸張正義，與律師合作，力圖讓真凶認罪，揭開警方的真面目。

● 1993 年出品　導演：吉姆謝里丹 Jim Sheridan

我想告訴政府，在證明我爸是清白的，
被牽扯其中的人都是清白的，
在真正的罪人被繩之以法之前，
我絕不會停止奮戰。
我以爸爸與真相的名義發誓。

October 5 ｜ 賽道狂人
Ford v Ferrari

引擎達到每分鐘七千轉時，一切都會
漸漸消失。車身變得毫無重量，彷彿不存在。
徒留一個在時間與空間中移動的軀殼。
七千轉，這是你所達到的境界。
你感覺到它即將來臨，慢慢的攀附你，
靠在耳邊，輕輕問了一個問題，也是
唯一重要的問題：「你是誰？」

　　肯是天賦異稟的車手，桀驁不馴的性格，阻礙了發展，只得以修車維生。
傑出的汽車設計師，被亨利福特二世聘請打造車隊，參加雷蒙 24 小時接力
賽，打敗法拉利。設計師深知肯的實力，堅持讓他披掛上陣。福特高層虛
偽陰險的作風，卻成為肯爭取榮譽最大的阻礙。

● 2019 年出品　導演：詹姆斯曼格 James Mangold

October
6 | # 沉默
Silence

你個人榮耀的代價，是他們的苦難！

我禱告，但還是迷失了。
難道我只是在向沉默祈禱嗎？

　神父費雷拉在日本遭受迫害後，放棄了天主教信仰。消息傳到澳門，他的兩個學生不敢置信，決定出發去日本尋找老師，親自查證。沿途，他們目睹當地對信徒的殘酷迫害，更親身經歷了神父當年的困境：叛教或死亡。
● 2016 年出品　導演：馬丁史柯西斯 Martin Scorsese

October
7
金牌特務
Kingsman: The Secret Service

> 比別人優秀沒什麼高貴的，
> 比過去的自己優秀才是眞正的高貴。

> 西裝是現代紳士的盔甲，
> 金牌特務是最新的中古騎士。

> 「感覺好像很多人會死。」
> 「你覺得我會在乎嗎？」

　　父親於機密行動中喪生，留下一枚勳章及僅能使用一次的求救號碼，少年用勳章免於牢獄之災。視父親為救命恩人，且性格溫和的男子現身，邀請少年加入特務訓練班。他通過重重考驗，變成身著西裝、舉止優雅的金牌特務，與男子聯手阻止邪惡陰謀。

● 2014 年出品　導演：馬修范恩 Matthew Vaughn

禮儀成就眞正的男人。

October 8 ｜ 忠犬小八
Hachi: A Dog's Tale

「爺爺是在哪裡找到小八的？」

「其實是小八找到爺爺的。」

你永遠不該遺忘你愛的任何人。

這是為什麼小八會是我永遠的英雄。

　　教授遇見戴著項圈的小狗，主人不知去向。他帶小狗回家，取名小八，成為一家人。小八每天都跟去車站，目送教授上車。下午牠會準時回到車站，接主人下班。多年後的一天，小八猛吠，也不願陪教授去車站。未料教授在課堂中因病去世。之後小八仍天天去車站，等待主人歸來……

● 2009 年出品　導演：萊思霍斯壯 Lasse Hallström

October
9 | # 夜行動物
Nocturnal Animals

**當你愛上一個人，你必須要細心以對，
否則你可能再也不會得到這段愛情。**

你不能總是一碰到問題就走開。

　　藝廊經紀人收到前夫指名獻給她的小說書稿，名為《夜行動物》。書中老公帶兒女出遊，卻遇上歹徒慘遭殺害。受失眠所苦的她，將小說男主角想成前夫，一面回憶往事，一面處理看似美好，實則破碎的婚姻。多年前她拋棄前夫、狠心墮胎，如今除了物質生活，一無所有。這本書更是前夫對她的報復……

● 2016 年出品　導演：湯姆福特 Tom Ford

October
10
社群網戰
The Social Network

黑暗是光明的缺席，
愚蠢則是我的缺席。

你將來可能會成為
一位很成功的電腦人才。
但你會認為你這輩子
都沒有女生喜歡，
是因為你是書呆子。
但說真心話，那不是真的。
沒有女生喜歡是
因為你是個混蛋。

你不是個混蛋，
但你卻努力讓自己成為一個混蛋。

他們想要的不是你的人，而是你的點子。

　　哈佛電腦程式鬼才馬克，被女友甩掉後，憤而下載同校女同學照片，分享連結供大家評比外貌，一推出即癱瘓學校網路。雙胞胎找上他，希望合作建立起整個哈佛的學生網絡，Facebook 雛型就此誕生。Facebook 由校園風靡到全世界，巨大成功的背後，卻暗藏著友情的背叛與權力鬥爭……

● 2010 年出品　導演：大衛芬奇 David Fincher

October 11 | 我想念我自己
Still Alice

> 這是偉大的學術傳統，知道得越多，
> 了解得越少，直到我們真正了解無知的全貌。

> 我還是小女孩時，老師說蝴蝶的生命很短暫，
> 大概只能活一個月。我很難過，回家告訴媽媽，她說：
> 「是啊，但是你知道嗎？牠們有過美好的生命，
> 過了璀璨的一生。」

　　人生顛峰時，家庭事業兩全的大學教授被診斷罹患早發性阿茲海默症。她開始學習面對失去，與家人和同事的關係也隨之改變。她最終意識到，失去記憶並不等於失去生命的一切。

● 2014 年出品

導演：理查葛拉薩 Richard Glatzer、瓦希魏斯特 Wash Westmoreland

Dream

戰火浮生錄

Les Uns et Les Autres

> 這就是焦慮，沒有好也沒有壞，
>
> 日子好壞參半。

二次戰爭結束後多年，戰火依舊烙印在四個受戰爭所苦的藝術家心中。來自俄國、法國、德國、美國的他們，熱愛著音樂及舞蹈。對他們而言，唯一的救贖是集合眾人，演出一場「波麗露」音樂會。

● 1981 年出品　導演：克勞德雷路許 Claude Lelouch

睡人
Awakenings

「你和他說我是個好人。但是，
給別人一個注定被奪走的性命，這樣還算好人嗎？」
「我們每個人都會經歷這些。」
「爲什麼我完全沒有被安慰到呢？」
「因爲你是個好人。因爲你是他的朋友。」

我不是很懂人類。
我喜歡人類，也希望對他們能有更深入的了解。
要是他們不要如此難以預測的話，或許還有機會……

當我兒子健康出生時，我從沒問過爲什麼。
爲什麼我這麼幸運？
我做了什麼，能配得上這麼完美的孩子，
如此完美的生活？
但是當他生病時，我卻一直在問爲什麼！
我想知道爲什麼！爲什麼會這樣？

我們需要用心經營工作、玩樂、友誼、家庭。
以上這些，就是我們一直以來時常忽略的，
最簡單，卻最重要的事。

　　腦科醫生用藥物喚醒沉睡 30 年的病人，他們奇蹟般的甦醒，讓醫院充滿歡笑與生機。正當病人們拾起錯過的時間、準備昂首面對人生時，卻再次退化，注定陷入困境。

● 1990 年出品　導演：潘妮馬歇爾 Penny Marshall

October 14 | 偷拐搶騙
Snatch

永遠不要低估人的愚蠢有多好預測。

> 如果我丟給狗一根骨頭，
> 我可不想知道好不好吃。

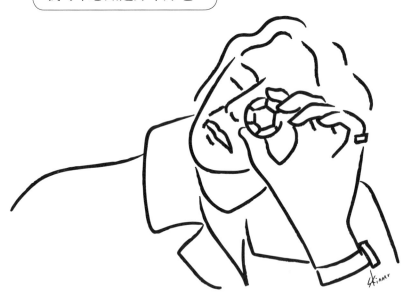

　　一顆 86 克拉的鑽石，落入一名嗜賭的美國搶匪手中。知道內情的俄國人，設局引他去地下拳賽下注，再請三個笨賊去搶鑽石。同時，兩個拳擊經理人想買輛二手露營車，卻被吉普賽人敲詐，派上拳手討公道，竟然被打趴。比賽在即，他們只能商請吉普賽人代打。兩條線上的人物，就此交織出荒謬爆笑的歷險。

● 2000 年出品　導演：蓋瑞奇 Guy Ritchie

October 15 ｜ 因為愛你
Carol

萬事都會回歸原點，猶如輪迴。

你會一直尋求解答，因為你還年輕。

當你覺得慘到不能再慘的時候，菸便抽完了。

　　徬徨女孩邂逅成熟貴婦卡蘿，兩人互相吸引。卡蘿正為女兒的監護權焦頭爛額，她們踏上公路旅行，旅程中情感日增。卡蘿的前夫派偵探跟蹤，讓兩人不被接受的祕戀遭逢打擊。

● 2015 年出品　導演：陶德海恩斯 Todd Haynes

October 16 | # 異形 3
Alien 3

> 為什麼？

> 為什麼無辜的人會遭受懲罰？

> 為什麼會有犧牲？

> 為什麼有痛苦？

> 根本沒有保證。

> 沒有事情是必然的。

> 只是有的人死去，有的人活下來。

> 每一顆種子裡，都有一個開花的承諾。

> 每一次死亡中，無論多渺小，

> 總是會誕生一個新生命，

> 一個新的開始。

　　蕾普莉將異形帶到 161 號行星，行星上住了一群與世隔絕的犯人，他們有一種末世論信仰，像苦行僧般等候末日來臨時神的救贖。異形的出現，讓犯人們面對最深的恐懼，蕾普莉也持續與異形戰鬥。

● 1992 年出品　導演：大衛芬奇 David Fincher

在一個瘋狂的世界裡，

一個清醒的人必須要表現得瘋狂。

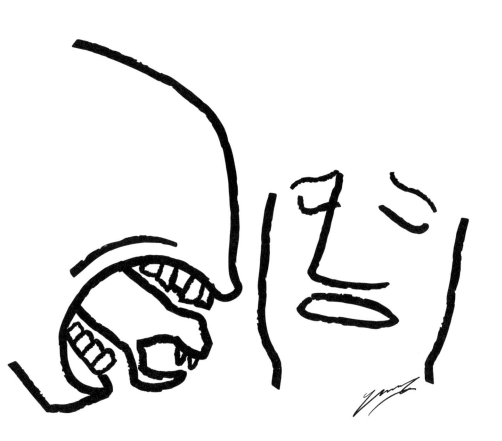

October
17

竊盜城
The Town

無論你改變了多少，
終究要為你做過的事付出代價。

　　波士頓一年發生三百多起銀行搶案，多數搶匪住在人稱「竊盜城」的小
鎮。道格是匪徒頭目，卻愛上曾挾持的女子。他一面計畫金盆洗手，一面
遭同伴以女友性命威脅，被迫面對兩難抉擇：是愛情還是背叛？

● 2010 年出品　導演：班艾佛列克 Ben Affleck

October
18 ｜ # 爲所應爲
Do the Right Thing

說話的人不知道真相，知道真相的人又不說話。

你總會對我好的。

有一天我們都會死去，都會被埋葬，

到時候你會變得友善，起碼，變得文明。

　　紐約黑人社區裡，義大利老闆經營一間披薩店，養大了整個社區的人。某天，顧客質疑他：為什麼做黑人生意，卻只掛白人肖像？反應不果，顧客決定抵制，只有拉辛響應，因為他在店裡大聲播放黑人反抗音樂，被老闆斥責。晚上，他們重返店家，要求老闆撤換照片，雙方衝突一觸即發。

● 1989 年出品　導演：史派克李 Spike Lee

Dream

October
19 | # 站在我這邊
Stand by Me

> 有時候會這樣，朋友在你的人生中來來去去，
> 就像餐廳裡收餐盤的服務生一樣。

> 就算我和他已經十年沒見了，
> 我知道，我會永遠想念著他。

> 如果沒有人好好照顧他們，
> 孩子們會失去一切。

　　作家戈登在報紙上看到律師克里斯被殺害的新聞，回憶頓時湧上心頭。戈登、克里斯、泰迪、魏恩四人是兒時死黨，某天一起出發，往森林裡尋找一位被火車撞死的少年屍體。途中的驚險遭遇，讓他們的關係更緊密，戈登和克里斯互相鼓勵，朝律師和作家的夢想努力。成年後，夢想達成，但是最真摯的友情已隨記憶遠去。

● 1986 年出品　導演：羅伯雷納 Rob Reiner

「你覺得我很奇怪嗎？」

「沒錯。」

「別鬧了，認真說！我真的很怪嗎？」

「是啊，但那又怎樣？大家都很怪啊。」

October
20

受難記：最後的激情
The Passion of the Christ

那些靠刀劍生存的人，必將死於刀劍之下。

你曾聽過，

應該要愛你的鄰人，

恨你的敵人。

但我告訴你，

要愛你的敵人，

並為那些迫害你的人祈禱。

因為如果你只愛那些愛你的人，

又能得到什麼呢？

耶穌被猶大出賣後，總督彼拉多在法利賽人強烈要求下，判處耶穌釘十字架的極刑。在人生的最後 12 個小時，耶穌經歷了最慘無人道的折磨，揹著十字架，沿途被兵丁鞭打，走上山後，被活活釘在十字架上。讓他堅定撐下去的，是對世人的愛。

● 2004 年出品　導演：梅爾吉勃遜 Mel Gibson

Happy

October
21 | # 公寓春光
The Apartment

你要花費數年時間，
才能抵達二十七樓。
但只要花三十秒，
就會讓你重回街頭。

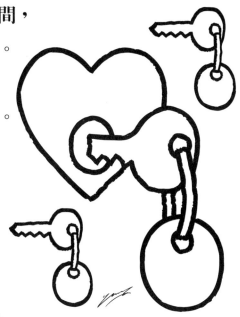

「鏡子……破了。」

「對，我知道，我喜歡這樣。
這讓我看起來跟我感受到的一模一樣。」

　　巴斯特是一間保險公司的職員，他把自己的公寓輪流借給上司們偷情，藉此不斷升遷。平安夜，老闆借了鑰匙，巴斯特則約心儀的女同事法蘭去看表演，但被放鴿子。巴斯特回到家，發現法蘭躺在他的床上，吞下了大量安眠藥而昏迷……

● 1960 年出品　導演：比利懷德 Billy Wilder

October 22 | 未婚妻的漫長等待
A Very Long Engagement

> 我什麼也不後悔，除了我的髮型之外。

> 把這裡當自己家。
> 聖誕節的時候，就從煙囪爬下來。

> 瑪蒂德向後靠著椅背，
> 雙手疊在膝蓋上，
> 看著他。
> 在甜蜜的空氣中，
> 在花園的陽光下，
> 瑪蒂德看著他。
> 她看著他……
> 她看著他……

瑪蒂德不相信未婚夫在一戰中陣亡的消息。她堅信若至愛生命消逝，她必會有所感應。果不其然，未婚夫並非單純戰死。她不放棄任何線索，循跡追查愛人下落。

● 2004 年出品　導演：尚皮耶居內 Jean-Pierre Jeunet

復仇是沒有意義的。

試著快樂生活，不要爲了我，毀了你的生活。

October 23 ｜ 恐怖角
Cape Fear

我們都必須穿越地獄，才能抵達天堂。

> 我在八乘九英呎的牢房裡度過了十四年，

> 被一群喪失人性的人所圍繞。

> 而我當時的任務，是要活得比人更像人。

> 如果你緊抓住過去不放，

> 你每天都會死去一點。

　　一名強暴犯在入獄 14 年後出獄，他出獄後的第一件事，就是找當年為他辯護的律師復仇，因為他堅信律師扣押能讓他脫罪的證據。如今，他準備讓律師一家付出慘痛的代價！

● 1991 年出品　導演：馬丁史柯西斯 Martin Scorsese

October 24 | 世紀教主
The Master

如果你找到了不用服侍主人的方法，
我是指任何主人，
那麼請讓我們所有人知道，好嗎？
因為你會成為這世界有史以來的第一人。

> 戀愛時，我們會經歷愉悅，還有極度的痛苦。

　　二戰後，退役返家的老兵佛列迪，加入由「大師」創辦的信仰集團「The Cause」，成為教主的左右手。眾人扶持下，「The Cause」成長為美國最大的非主流宗教。但追隨者越發狂熱，佛列迪不禁質疑他的靈魂導師，原先堅定的信仰開始動搖。

● 2012 年出品　導演：保羅湯瑪斯安德森 Paul Thomas Anderson

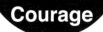

Courage

October
25

鐵面無私
The Untouchables

> 不要等待事情的發生，
> 甚至不要期望任何事情會發生。
> 只要看看發生了什麼事就好。

> 直到戰鬥結束前，永遠不要停止奮戰。

> 我是在一個困苦的社區長大的，
> 我們常說：「一句好話加上一把槍，
> 往往比單單一句好話更有用。」

美國政府施行禁酒令，販賣私酒成為有利可圖的行業，黑幫首領便以暴力手段全面控制私酒市場。新任聯邦特派員決心打擊非法私酒買賣，首次突擊卻因走漏風聲而失敗。即使深感挫折，他仍重新振作，展開一場顛覆正義的生死之戰。

● 1987 年出品　導演：布萊恩狄帕瑪 Brian De Palma

如果你害怕拿到腐爛的蘋果，
就不要去桶子裡找。
爬上樹去找。

October 26 | 年少時代
Boyhood

為什麼大家總是喜歡說「把握當下」呢？
我不知道，我總覺得更像是
「當下掌握了我們」，你覺得呢？

「爸，這世界上沒有魔法，對嗎？」
「什麼意思？」
「你知道的，像是精靈那些的，都是人們虛構出來的吧。」
「嗯，我不知道。不過，是什麼讓你感覺
精靈比鯨魚更有魔力呢？」

男孩梅森從小學到成年的 12 年間，歷經成長必有的悲歡、大小意外、家庭變遷，揮別摯友、愛人、師長等人生過客，在時光流逝間逐漸茁壯。

● 2014 年出品　導演：李察林克雷特 Richard Linklater

October
27 | # 驚爆焦點
Spotlight

我們有兩個故事：一個是關於墮落的牧師，
一個是關於一群律師，把兒童虐待案
變成家庭手工業。
律師先生，你想要我們寫哪一個？

他們說這是肉體虐待，但不只是這樣。

這是精神的虐待。

波士頓頻傳神父性侵孩童的醜聞。教會視而不見，甚至暗中保護，受害
者只能保持沉默，甚至自殺。由四位記者組成的焦點小組對事件展開調查，
試圖揭發真相。

● 2015 年出品　導演：湯姆麥卡錫 Tom McCarthy

October 28 | 幽靈世界
Ghost World

你以為沉迷於蒐集東西很健康嗎？

你不能與他人連結，

所以才用東西填滿你的人生。

「你不去接電話嗎？」

「讓機器幫我接吧。

我沒有興趣和任何會打給我的人說話。」

我和百分之九十九的人類都不熟。

「哦，我的天啊，眞不敢相信我們眞的做到了！」

「耶，我們居然從高中畢業了，太令人開心了。」

艾妮與蕾貝卡是一對死黨，兩人特立獨行，常被視為怪咖，但她們覺得現實世界才更多怪胎。後來，艾妮愛上一位單身漢，他對音樂的執著與純眞，深深吸引了艾妮。蕾貝卡找到工作，步上「正常」之路。兩人的價值觀與感情開始出現裂痕……

● 2001 年出品　導演：泰瑞史維高夫 Terry Zwigoff

我認爲只有笨蛋才會擁有好的情感關係。

October 29 | 雲端情人
Her

過去，不過是我們說給自己聽的故事。

> 人心不像箱子一樣能夠被填滿。
>
> 你愛得越多、越深，它就膨脹得越大。

> 我們隨時都在跟上一刻的自己道別，
>
> 所以我們不該抗拒改變。

　　寂寞的上班族西奧多購買了人工智慧助手，相處間，他被聰穎、懂得傾聽的 AI 吸引，開啟奇異的愛戀。AI 情人幫助西奧多審視現實中的關係，AI 也學習人的慾望、感情，了解西奧多以外的世界。

● 2013 年出品　導演：史派克瓊斯 Spike Jonze

October
30

末日列車
Snowpiercer

當你夢到太多陽光，就會忘了樹。

為了存活下去，
我們得在焦慮、恐懼、混亂之間找到平衡。
如果沒有找到，就必須去創造它。

　　氣候巨變導致人類瀕危，僅存的人在永遠運轉的列車上躲避末日。列車有階級劃分，前端是享盡奢華的菁英階層，車尾是飢寒交迫的貧民。窮人發動叛變，往車頭攻去，卻發現維持列車的殘酷真相。

● 2013 年出品　導演：奉俊昊 Bong Joon Ho

October
31

變腦
Being John Malkovich

這裡有真相，也有謊言。

而藝術，就算它在說謊，也總是能說出真相。

自主意識是恐怖的詛咒。

我思考、我感覺、我受苦，

我只希望能有機會好好完成任務，但他們不准，

只因為我提出質疑。

　　傀儡師陰錯陽差下發現通過大樓 7、8 樓夾層的一處暗門，便能進入名演員馬克維奇的腦中，接手他的意識。秘密傳開後，為了一己愛欲，許多人穿越暗門掌控演員身體，開啟一連串怪誕與混亂的事件。

● 1999 年出品　導演：史派克瓊斯 Spike Jonze

November 1 | 決戰終點線
Rush

你越接近死亡，就越感覺到活著。

這是美妙的生活方式，也是唯一的駕駛方式。

> 快樂是你最大的敵人，
>
> 它會減弱你，
>
> 為你的心靈帶來懷疑。
>
> 因為忽然間，
>
> 你有了害怕失去的東西。

　　勞達與杭特都是 F1 車手，在七零年代各領風騷。兩人從駕駛風格到私下生活都截然不同，勞達嚴謹穩重，杭特狂放輕浮，這影響了他們的賽場成績，也主宰了迥然相異的人生軌跡。1976 年賽季，兩人纏鬥到最後一場，此時下起了滂沱大雨，面對生命安危與冠軍榮耀，兩人必須做出人生最重要的決定。

● 2013 年出品　導演：朗霍華 Ron Howard

November 2 ｜ 地心引力
Gravity

你必須學習怎麼放手。

「你最喜歡太空的什麼？」

「寂靜。」

　　醫學工程師第一次執行太空任務，她的搭檔是資深太空人。兩人在例行太空漫步中發生災難，太空梭全毀，孤立無援，不斷被捲入黑暗之中。他們回家的唯一可能，便是繼續深入太空⋯⋯

● 2013 年出品　導演：艾方索柯朗 Alfonso Cuarón

November
3

芭薩提的顏色
Rang De Basanti

一隻腳站在過去，一隻腳站在未來，
難怪我們會迷失於現在。

只有兩種生活方式：忍受事物原本的模樣，
或者負起責任去改變它。

女子閱讀祖父的日記後深受感動，到印度拍攝紀錄片。她到大學選角，認識一群年輕人。剛開始拍攝不順利，直到其中一人遭遇空難，他們受感召，燃起鬥志，壯烈犧牲。

● 2006 年出品

導演：拉凱什奧姆普拉卡西梅赫拉 Rakeysh Omprakash Mehra

November
4

今天暫時停止
Groundhog Day

如果明天不存在呢？
根本沒有一個所謂的今天。

「如果你被困在同一個地方，每天的日子都過得一模一樣，你做什麼都無所謂，你會怎麼做？」
「這差不多總結了我的人生。」

　　刻薄的氣象主播在報導土撥鼠日時被困在鎮上，發現 2 月 2 日這天不停重複。陷入無止境迴圈的他，從困惑轉為胡作非為，甚至求死解脫，但都無法成功。直到他從頭檢視、改善自己，以能力助人，時間才重新轉動。
● 1993 年出品　導演：哈羅德雷米斯 Harold Ramis

November 5 ｜ 我的意外爸爸
Like Father, Like Son

只有沒體會過感情羈絆的人，
才會執著於孩子跟自己像不像這件事。

（ 時間就是一切，孩子的時間不能等。 ）

　　男子與妻子有一名6歲獨生子，一家過著幸福的生活。一天醫院通知他們當初生產時抱錯嬰兒，自己的兒子竟然是別人的孩子。6年間的愛，一夕成為幻影，這場意外讓男子明白血緣關係是需要練習的。

● 2013 年出品　導演：是枝裕和 Hirokazu Koreeda

November 6 | 鋒迴路轉
Knives Out

灰色地帶與謊言並不存在於真理之中，你在掌握真理後如何處理，才是關鍵。

對於人格最好的評斷，就是看他養的狗。

知名犯罪小說家在慶祝完 85 歲生日後，被發現於自家豪宅內割喉。一名偵探對家族成員展開調查，解決這場錯綜複雜的謀殺疑雲。

● 2019 年出品　導演：萊恩強森 Rian Johnson

November
7 | # 25 小時
25th Hour

這些在沙漠中的小鎮，你知道它們為什麼
會在這裡嗎？因為人們希望遠遠離開某個地方。
那是讓人重新來過的沙漠。

蒙提坐擁豪宅、開名車，正與女友泡澡時，幾名警察破門而入，從沙發
中搜出毒品。蒙提當場被捕，被判處 7 年徒刑。入獄前最後 24 小時，他重
遊舊地，回高中見了老師，找爸爸吃飯，約了年少時兩位朋友。往事一一
浮現，他不禁思考，自己的人生怎麼會變成這樣？面對第 25 個小時，他又
該如何抉擇？

● 2002 年出品　導演：史派克李 Spike Lee

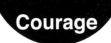

November
8

勇者無敵
Warrior

跟熟悉的魔鬼打交道，
總比跟不認識的魔鬼交手好。

　　湯米離開軍隊後，無法擺脫弟兄犧牲的陰影，失去了人生方向。他決定
向多年不見的父親求助，受訓參加綜合格鬥競賽，目標贏得冠軍獎金，幫
助弟兄們的遺孀。而哥哥早已在格鬥界打滾，隨著賽事進行，父子三人的
宿怨浮現。兄弟兩人各自過關斬將，一步步走向冠軍賽的兄弟對決。

● 2011 年出品　導演：蓋文歐康納 Gavin O'Connor

November
9

風雲人物
It's a Wonderful Life

在天堂裡，錢派不上用場。

記得，任何一個有朋友的人，
都不是失敗者。

　　喬治從小樂於助人，為他人的幸福犧牲，卻始終無法追求自己的夢想。
一次意外，他背上掏空家族公司的罪名，無力償還巨債。絕望的喬治打算
在聖誕夜投河，上帝派遣天使長下凡，帶他回顧人生，世界因為他，有了
多大的不同。

● 1946 年出品　導演：法蘭克卡普拉 Frank Capra

| # 基督的最後誘惑
The Last Temptation of Christ

如果我是樵夫，我就砍樹。

如果我是火焰，我就燃燒。

但我是一顆心，我愛人。

這是我唯一能做的事情。

世上只有一個女人，一位有著許多不同臉龐的女人。

　　耶穌領悟上帝旨意，踏上傳道旅程。他抵擋諸多誘惑，讓門徒猶大出賣自己，釘上十字架為世人犧牲。受難時，天使卻說神的使命已解除，耶穌如釋重負，走下十字架過上平凡生活。多年後，他驚覺天使其實是撒旦的化身，向神懺悔，重回十字架。

● 1988 年出品　導演：馬丁史柯西斯 Martin Scorsese

November 11 │ 熱情如火
Some Like It Hot

重點不是你等多久，而是你在等誰。

　　喬與傑瑞是兩名樂師，目睹黑幫尋仇而遭受追殺。他們男扮女裝躲進一組女子樂隊，在旅途中認識了美豔女星。喬陷入愛河，假扮成一位富翁追求女星。傑瑞假扮的女性則受到一位老富翁的愛慕。四人之間，爆發一連串逗趣又混亂的情節。

● 1959 年出品　導演：比利懷德 Billy Wilder

November 12 ｜ 影子大地
Shadowlands

痛苦是上帝的擴音器，
用來喚醒聽不見的世界。

我祈禱是因為我幫不了自己，我很無助，
因為無論在走路或睡覺，
需求總會不斷從內心湧出。
祈禱改變不了神，改變的只有我。

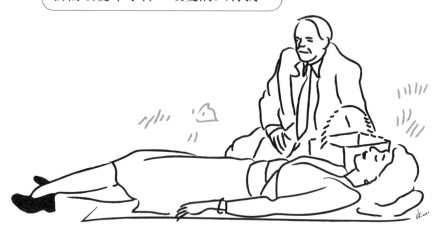

　　《納尼亞傳奇》作者、基督教護教大師 C.S. 路易士的真實故事。路易士晚年遇到一名婚姻失敗、攜子前來英國的女詩人，她的出現照亮路易士的生命，開啟一段暮年之戀。女詩人隨後罹癌逝世，路易士走過傷痛，陪伴女詩人的兒子成長。

● 1993 年出品　導演：李察艾登堡 Richard Attenborough

| # 狂沙十萬里
Once Upon a Time in the West

你怎麼能信任一個同時穿皮帶
又穿吊帶褲的男人？
這男人甚至不能相信
他自己的褲子！

　　吹著口琴的神秘槍手，一心尋找匪徒決鬥報仇。仇人沒有赴約，而是在
貪婪富商的聘用下，為了篡奪鎮上鐵路的所有權，謀殺麥賈一家。麥賈的
妻子因此捲入一場利益、仇恨的混戰中……
● 1968 年出品　導演：塞吉歐李昂尼 Sergio Leone

November 14 | 2001：太空漫遊
2001: A Space Odyssey

我很害怕。我很害怕，戴夫。

我感受得到我的意識正在遠離，我感受得到。

我感受得到，意識正在離去。

我很確定，我感受得到。我感受得到。

我很害……怕。

> 相信你們能意識到，在沒有充足準備和協調的情況下，
> 太早且突然的將事實公諸於世，將會造成
> 高風險的文化衝擊及社會混亂。

太初，神秘黑石碑降臨，啟蒙猿人；太空紀元，石碑再次出現釋放訊號。科學家前往木星調查，由超級電腦「哈爾」領航，不會出錯的哈爾卻意圖殺死所有人，最後遭僅存的太空人戴夫摧毀。戴夫漂泊太空，墜入奇異時空，觸及生命循環及無法理解的終極知識。

● 1968 年出品　導演：史丹利庫柏力克 Stanley Kubrick

<table>
<tr><td>November
15</td><td>

300 壯士：斯巴達的逆襲
300
</td></tr>
</table>

「反抗我是不明智的。想像一下，
我的敵人面臨的命運是多麼恐怖！為了勝利，
我可以犧牲每一個手下。」
「而我願意為了任何一個手下犧牲自己的
性命。」

你有很多奴隸，但很少勇士。
不久之後，他們會害怕我的矛，多過害怕你的鞭。

西元前 480 年的溫泉關戰役，斯巴達 300 壯士與上萬波斯士兵在關口相
逢。寡不敵眾的斯巴達戰士視死如歸，驍勇守衛家園，雖然全數犧牲，但
也折損波斯大量兵力，為希臘的勝利立下大功。

● 2006 年出品　導演：查克史奈德 Zack Snyder

Dream

November 16 | 日落大道
Sunset Blvd.

「我一直希望能碰到你。」

「幹嘛？拿回你插在我背後的刀嗎？」

真有趣，當你一死，
人們就會如此溫柔的對待你。

五十歲一點都不悲劇，
除非你試著讓自己
看起來像二十五歲。

　　過氣的女明星，住在廢棄的大宅邸，為自己創作劇本，一心重返往日榮光。一位失意的劇作家，意外闖入大宅邸，發現雙贏的機會，同意幫忙修改劇本，開啟一段事業合作與感情糾葛。

● 1950 年出品　導演：比利懷德 Billy Wilder

November 17 | # 不羈夜
Boogie Nights

當你達到頂峰，你還能期待什麼？

就像拿破崙，他當國王時，

人們不斷試圖要征服他……

所以，歷史會不斷自我重複。

youyun.

　　一名年輕人在夜總會廚房打工時，被成人電影導演相中，邀請進入成人影片界。他躍升為成人片著名男主角，享受紙醉金迷的生活。夜夜笙歌，嗑藥享樂，甚至以毒品來詐騙。

● 1997 年出品　導演：保羅湯瑪斯安德森 Paul Thomas Anderson

沒有笑聲的一天，是浪費的一天。

Happy

November 18 │ 兩根槍管
Lock, Stock and Two Smoking Barrels

如果牛奶酸了，我可不要當那隻去喝的貓。

　　艾迪和三個朋友借了 50 萬英鎊，參加色情大亨舉辦的賭博大賽，結果輸得精光。為了在一週內還款，他們決定打劫黑幫，而買來派上用場的兩根槍管，竟然是大亨亟欲到手的珍貴古董。

● 1998 年出品　導演：蓋瑞奇 Guy Ritchie

November 19 | 海邊的曼徹斯特
Manchester by the Sea

我受不了了，我受不了了。我很抱歉。

「我對你說了很多傷人的話，我的心已支離破碎，永遠無法癒合。

我知道你的心也碎了。我對你說的那些話……

我真該下地獄。你不能這樣消沉下去。」

「你不了解，我的心已經什麼都沒有了。」

「這不是真心話。」

　男子離鄉背井，在外地當水電工。哥哥突然病逝，讓他不得不回到曼徹斯特海邊，成為姪子的法定監護人。除了世代隔閡，他同時要撫慰姪子的喪父傷痛。返鄉之旅在男子內心激起漣漪，他意識到自己無法與過去和解。

● 2016 年出品　導演：肯尼斯洛勒根 Kenneth Lonergan

November
20 │ # 決殺令
Django Unchained

賞金獵人其實和奴隸制一樣，
都是用人的血肉去換錢的生意。

　　賞金獵人舒爾茲解救黑奴決哥後，發現他的長才，一同踏上賞金獵人之路。在舒爾茲的指導下，決哥練就神射功夫，一路復仇懲惡。最後他們來到惡名昭彰的莊園，企圖拯救決哥的女友。

● 2012 年出品　導演：昆汀塔倫提諾 Quentin Tarantino

November 21 | 震撼教育
Training Day

要保護綿羊，你必須先抓到狼。
而你必須先有狼，才能抓到狼。

重點不是你知道什麼，而是你能證明什麼。

你可以開槍射我，但你殺不死我。

　　緝毒組警察傑克第一天上班，在老鳥警官的指導下，上街認識地盤。傑克迅速發現，緝毒這行並不如他想像的大義凜然，而是充斥灰色地帶。執法與犯罪、緝毒與販毒界線模糊，怎樣才能有效維護人民的安全？

● 2001 年出品　導演：安東尼法奎 Antoine Fuqua

November 22 | 異形 2
Aliens

其實我眞的不知道，異形跟人類相比，
哪一個種族比較糟糕？
起碼你絕對不會看到牠們自相殘殺。

蕾普利逃出異形災難後，進入休眠，在太空漂浮了 57 年才抵達地球。她逃避過去，直到 LV-426 號行星與地球神秘失聯，蕾普利決定面對恐懼，帶領一班陸戰隊重返異形的起源。

● 1986 年出品　導演：詹姆斯卡麥隆 James Cameron

November
23 | # 成名在望
Almost Famous

我沒有發明雨天，只是擁有最棒的雨傘。

> 偉大的藝術是關於衝突、痛苦、愧疚與渴望。

　　六、七零年代的美國，搖滾樂是年輕次文化代表。少年在熱潮中成了《滾石雜誌》記者，隨樂團巡迴。他目睹好友獻身音樂、渴求名譽，深陷性愛與毒品。他們面對搖滾精神的變質，吶喊時代青年的壓抑與徬徨。

● 2000 年出品　導演：卡麥隆克羅 Cameron Crowe

November 24 | 獨家腥聞
Nightcrawler

你為什麼追逐，跟你追逐什麼一樣重要。

> 我的座右銘是，
> 如果你想中樂透，
> 那必須先賺錢，
> 才有錢買彩券。

　　賣贓物維生的男子，發現販賣事故照片給電視台能獲得好酬勞，而踏上攝影記者之路。野心勃勃的他，無視道德底線，追求極致羶腥的報導。他擅長擺弄權力關係，不惜扭曲事實、親手製造事件，從中謀利，踐踏別人以平步青雲。

● 2014 年出品　導演：丹吉洛伊 Dan Gilroy

November
25

落 KEY 人生
Key of Life

到了三十五歲還沒有固定工作，獨自一人住在這種地方，想死也是正常的吧。

你房間那本斯特拉斯伯格的書，只看了最前面八頁，

其他書也一樣。好不容易有點學習幹勁，

可是書一買回來就滿足了，你小子就是那種最渣的人。

澡堂中，一塊肥皂滑落，撩倒演員偷走專業殺手的鑰匙，互換了身分。他住進豪宅、開名車、償還債務；失憶殺手，變得謙卑，做事嚴謹，努力做好臨時演員的工作。內斂的雜誌女主編愛上這位認真的「演員」，參與了這場美麗的誤會。失憶演員面對殺手工作，又該如何是好？

● 2012 年出品　導演：內田賢治 Kenji Uchida

November 26 | 巴黎，德州
Paris, Texas

「我以為你怕高。」

「我不是怕高，我怕的是墜落。」

youyun.

失憶男子被發現在高速公路旁遊走，弟弟得知消息後，駕車尋找，終於在沙漠中找到失蹤的哥哥。他們一路踏上找尋記憶的公路旅行。

● 1984 年出品　導演：文溫德斯 Wim Wenders

November 27 ｜ 霸道橫行
Reservoir Dogs

你在夢中朝我開了一槍，
你最好醒過來跟我道歉。

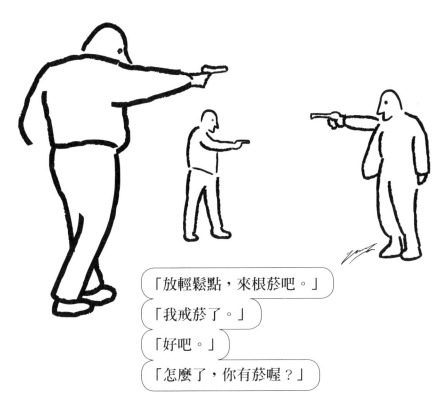

「放輕鬆點，來根菸吧。」

「我戒菸了。」

「好吧。」

「怎麼了，你有菸喔？」

　　黑幫老大召集六名搶匪，去搶鑽石，他們彼此不認識，也被嚴禁談論私事。事跡敗露，兩人被警方擊斃，倖存的人回到倉庫，彼此產生懷疑，血腥的逼供與內鬥一觸即發。

● 1992 年出品　導演：昆汀塔倫提諾 Quentin Tarantino

November
28 | # 假面
Persona

重要的是付出多少努力，
而不是我們達成了什麼。

不說謊、讓所有事情聽起來都像真的，

真的如此重要嗎？

一生中，人可以不說謊、不為雞毛蒜皮的事爭吵、

不找藉口嗎？懶惰、馬虎、欺瞞不是更輕鬆嗎？

或許保持自己原來的面目，才能真的進步。

　　舞台劇演員伊莉莎白，在一次演出忘詞後，從此拒絕說話。數月後，她被送進精神病院，由護士阿爾瑪陪伴到濱海別墅休養。伊莉莎白身體好轉，但仍不願說話。直到阿爾瑪將自己和未婚夫的感情困境告訴伊莉莎白，轉折從此出現。

● 1966 年出品　導演：英格瑪柏格曼 Ingmar Bergman

人害怕還能勇敢，才是真勇敢。

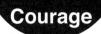

| November 29 | 第九禁區
District 9 |

和外星人打交道時，要有禮貌，也要堅定。
永遠記得，一個微笑要比一顆子彈便宜。

　　南非上空出現太空船，政府將艙內大量外星物種，隔離於第九禁區。28年後外星人數量暴增，與居民衝突不斷，被迫遷移。負責人驅逐時不慎感染，演化成外星人，成為解開外星武器的鑰匙。受盡同類排斥與利用，他躲藏於第九禁區，為變回人類，決定與外星人共同反擊……

● 2009 年出品　導演：尼爾布洛姆坎普 Neill Blomkamp

November
30

打不倒的勇者
Invictus

我是我命運的主人，我是我靈魂的隊長。

> 我感到恐懼的那一天，
> 就是我不再有資格領導的那天。

> 寬恕讓靈魂自由。
> 寬恕能夠移除恐懼。

youyun.

　　被囚禁 27 年的曼德拉，在南非廢除種族隔離後，當選第一任總統。面對撕裂的社會，曼德拉聯手橄欖球隊長，跨越黑白膚色，共同贏得世界冠軍，凝聚民眾的向心力，重建社會。

● 2009 年出品　導演：克林伊斯威特 Clint Eastwood

December 1 ｜ 明天別再來敲門
A Man Called Ove

可以肯定的是，無論我們今生做過什麼，沒有人能夠活著離開。

有人說，命運是自己一連串愚蠢行為的結果。

　　脾氣古怪的獨居男子想告別世界，卻意外被鄰居阻止。他死意堅決，一次次尋短，奇怪的事也接連發生，阻撓他的死意。他與鄰居發生的怪事揭開他對人生新的體悟。

● 2015 年出品　導演：漢內斯霍爾姆 Hannes Holm

December 2 | 愛情，不用翻譯
Lost in Translation

就算身處人群之中，
我仍然覺得好寂寞。

你越知道你是誰，越知道你想要什麼，
心情就越少被影響。

　　兩個毫無共通點的美國人，在一次意外假期中，找到心靈相契的頻率。
鮑伯因工作欲振乏力，夏綠蒂對未來毫無把握。失眠的夜，兩人酒吧相遇，
寂寞將兩人拉近，共譜一段短暫卻深刻的情誼。
● 2003 年出品　導演：蘇菲亞柯波拉 Sofia Coppola

December
3

惡棍特工
Inglourious Basterds

我愛傳聞！眞相可以混淆人，然而傳聞，無論是眞是假，時常能啓發人心。

> 我意識到，當人類拋棄尊嚴，可以達成多偉大的壯舉。

> 美國體育的競爭力，來自黑奴的後裔。
> 美國獲得的奧運金牌，可以用黑人流的汗來秤重。

　　美國猶太復仇隊「惡棍特工」，在二戰時期到處屠殺納粹。德軍英雄愛上法國女子，堅持要用她的電影院作為自己傳記電影的首映會場，所有納粹高層都準備出席。惡棍特工準備一舉撲殺希特勒，女子也要為死去的家人報仇……

● 2009 年出品　導演：昆汀塔倫提諾 Quentin Tarantino

December
4

慾望之翼
Wings of Desire

**如果人類失去了講故事的人，
他們就失去了童年。**

> 如果你能同時抽菸又喝咖啡，那就太棒了。
> 畫畫也是，當你拿起鉛筆畫出一條深色線，
> 再畫出一條淺色線，
> 兩條一起，就會成為一條很好的線。

　　兩名天使守護著冷戰末的柏林，他們穿梭人群，觀望浮生百態，只有孩子能察覺他們。直到天使愛上馬戲團的空中飛人，決定墜入凡間，換取肉身，追求塵世情愛。

● 1987 年出品　導演：文溫德斯 Wim Wenders

Dream

無法無天
City of God

爲什麼要回到那個遭上帝遺忘的上帝之城？

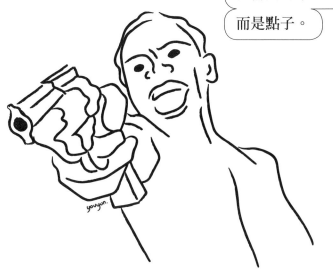

要成爲好的黑道分子，你需要的不只是槍，而是點子。

陽光屬於所有人，海灘只留給少數人。

里約熱內盧的貧民窟被戲稱爲上帝之城，卻是離上帝最遠的地方。搶劫、販毒、殺人是日常，青少年不是成爲黑幫，就是遠走他鄉。一名青少年以攝影天分改變命運，記錄家鄉的瘋狂，也促成一場革命。

● 2002 年出品

導演：費南多梅雷萊斯 Fernando Meirelles, 卡迪亞蘭德 Kátia Lund

Love

December
6 | # 派特的幸福劇本
Silver Linings Playbook

要治好我的瘋狂，
唯一方法就是做比我更瘋狂的事。

> 當人生伸出手來，像現在這樣，
> 你如果不回應，就是一種罪。
> 它會像詛咒一般，糾纏你的餘生。

派特發現妻子外遇而崩潰，在精神病院待了8個月。為與妻子重修舊好，他試圖改變自己，恢復生活，這時遇見了一位失去老公的女子。不相信幸福的兩人相遇，徹底瓦解自我偽裝的面具，不再感到孤單。

● 2012 年出品　導演：大衛歐文羅素 David O. Russell

December
7　│　# 迴路殺手
　　　Looper

> 我看到一個會為兒子而死的母親。
> 一個會為妻子殺戮的男人。
> 一個男孩，憤怒且孤獨，
> 在他眼前的是一條黑暗的道路。
> 而這條路是條迴路，不斷循環，
> 所以，我改變了它。

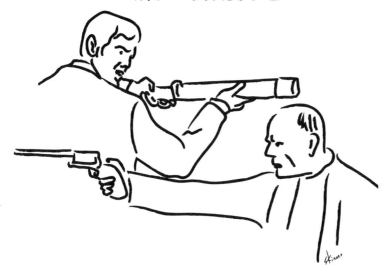

　　30 年後，人類發明時光機，黑幫利用時間旅行，訓練出一群迴路殺手，在過去等待著未來目標被傳送過來，再殺害領賞。喬是名年輕的迴路殺手，有天準備殺死目標，卻發現對方是未來的自己……

● 2012 年出品　導演：萊恩強森 Rian Johnson

December 8 | 切腹
Hara-Kiri

懷疑的心製造出了自己的惡魔。

沒上過戰場的武士道，
就像在陸地上訓練的游泳技巧一樣。

今天降臨在別人身上的，
也可能成爲你明天的命運。

　　德川家光掌權時，大量武士失業，常來到諸侯家要錢，並以死威脅。半四郎來到井伊家，要求庭前切腹。家老想起曾提出同樣要求的年輕人。半四郎才說出兩人間的關係，帶出對人性尊嚴的維護，以及對武士道的嚴厲批判。

● 1962 年出品　導演：小林正樹 Masaki Kobayashi

December
9 | # 冷山
Cold Mountain

如果你在戰鬥，停止戰鬥。

如果你在行軍，停止行軍。

回到我身邊，回到我身邊，這是我的請求。

> 這場戰爭的一切都是男人的鬼扯。
>
> 他們把這場仗稱為「籠罩土地的烏雲」，
>
> 他們自己造成這種天氣，
>
> 然後站在雨中說：「該死，下雨了！」

　　美國南北戰爭時，負傷軍人心繫家鄉「冷山」的情人。他成了逃兵，穿越戰火摧殘的土地，認識不同階層的朋友，彼此扶持，抵擋敵軍。苦苦等待的情人，在好友幫助下堅守家園。戰火未曾停歇，兩人從未放棄，風雪中等待與彼此重逢，延續未竟之戀……

● 2003 年出品　導演：安東尼明格拉 Anthony Minghella

December
10

殺無赦
Unforgiven

射得準、射得快，沒什麼不好，

但是這跟冷靜沉著比起來，根本不算什麼。

開火狀態下，人必須保持清醒，

不被對手招惹激怒，否則必死無疑。

放心吧，小子。

我不會殺你，

你是我唯一的朋友。

　　無惡不作的罪犯，愛上一名女子後洗心革面，結婚退出江湖。妻子過世後，獨自扶養兒女的他受到老友邀約，重出江湖獵殺一幫殘暴的匪徒。這不僅是為了生活費，更是為了實現正義。

● 1992 年出品　導演：克林伊斯威特 Clint Eastwood

December 11 | 人造意識
Ex Machina

創造出某種仇恨自己的東西，不是很奇怪嗎？

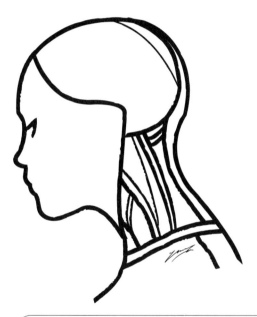

> 有一天，人工智慧會回過頭來看著我們，
> 就像我們看著非洲草原上的化石一樣。

　　男子入住老闆的別墅，要測試能否在對話過程，漸漸忘記夏娃是個機器人。夏娃聰明迷人，男子愛上她，策劃一同逃出。沒想到，夏娃是根據男子的喜好訂製，實驗是測試人類能否愛上機器人。夏娃殺了老闆逃出，將男子困於別墅中，究竟是誰在測試誰？

● 2014 年出品　導演：亞力克斯嘉蘭 Alex Garland

December 12 | 金玉盟
An Affair to Remember

我就帶著我的自尊出去散個步。

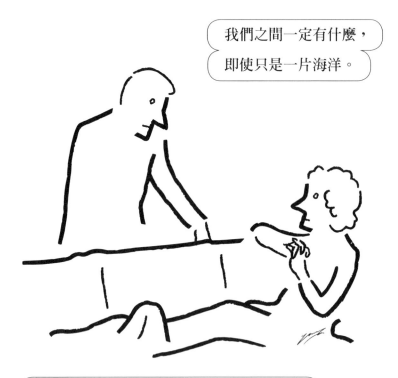

男女在遊艇相遇,墜入情網。為了證明這不只是偶遇,他們決定 6 個月後重逢,最後卻事與願違。多年後,命運給了他們第二次機會,這回有情人是否能終成眷屬?

● 1957 年出品　導演:李歐麥卡瑞 Leo McCarey

December 13 | 霓裳魅影
Phantom Thread

一間不肯改變的房子，是一間死去的房子。

> 婚姻會讓我不忠，
> 所以我從來沒想過要結婚。

　　知名裁縫師與姊姊經營工作室，專為貴族設計高級訂製服。要求完美的他，無法與女人穩定發展，直到遇見一位繆思。為符合規矩，女子調整言行舉止，仍無法令裁縫師滿意；裁縫一板一眼的世界也陷入混亂，兩人發展出纏綿依戀的共生關係。

● 2017 年出品　導演：保羅湯瑪斯安德森 Paul Thomas Anderson

December 14 | # 橘子收成時
Tangerines

「這是一場為了我的橘子而打的仗。」
「正經點，他們是為土地而戰。」
「那也正是長著我橘子的土地。」

「我必須為我的朋友報仇，這是件神聖的事。
你不會懂的，老頭。」
「趁人家失去意識，殺害這位熟睡中的人，
這也算神聖的事嗎？我不這麼覺得。」

　　1992 年阿布哈茲戰爭，村民怕受戰火波及，紛紛遷出。留在村莊的老爺爺在兩軍交戰時，救下兩名敵對士兵。他們勢不兩立，即使身懷重傷也想除掉對方。作為救命代價，爺爺讓兩人和平共處，並幫他採收熟成的橘子。
● 2013 年出品　導演：扎扎烏魯沙哲 Zaza Urushadze

December 15 | 戀愛離線中
The Future

你知道在卡通裡，建築物被擊倒前，
總會有完好無缺的那一幕嗎？
我們正處在那個場景裡，落錘已經打過來了，
現在就是一切都將毀滅前的那一刻。

「剛開始都很不容易，其中一個人
可能會做一件糟糕的事，那會很難適應。」
「我們一開始沒有那種問題。」
「事實是你們才正要開始而已。」

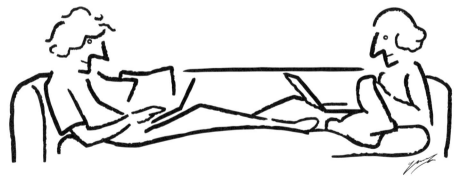

交往多年的情侶領養一隻貓，準備開始新生活。他們意識到自己只剩 30 天無拘無束的生活，便辭去工作，重新規劃人生。這時，女子偶然認識另一名男子，意外為關係埋下一枚震撼彈。

● 2011 年出品　導演：米蘭達裘麗 Miranda July

December 16 | **佈局**
The Invisible Guest

可信度奠基於細節。

我可以用細節說服全世界你是清白的。

科技業商人在事業正值高峰時，被一名人士擊昏，丟棄在一個神秘房間，醒來後他發現身旁伴著一具屍體。一切矛頭指向他，到底真相如何，凶手是他，還是另有其人……

● 2016 年出品　導演：奧瑞歐保羅 Oriol Paulo

December
17
異星入境
Arrival

語言是文明的基石，是凝聚人類的黏著劑。
語言也是衝突中，製造出的第一項武器。

蛋型太空船降落地球，面對不速之客，人們惶恐不安。語言學家加入調查團隊，試圖與外星人溝通，了解降落目的。深入面對面接觸，她發現外星人使用的環狀非線性語言，有預見未來的能力……

● 2016 年出品　導演：丹尼斯維勒紐夫 Denis Villeneuve

吾父吾子
My Father and My Son

人們長大後，他們的夢是不是變小了？

你是我的兒子，
你的靈魂比我的肉體更接近我自己。

　　土耳其的左派記者，與妻子滿心期待孩子出生，生產當晚碰上軍事政變，宵禁之下沒人敢向他們伸出援手，導致妻子難產過世。記者也因政治立場被逮捕，囚禁 3 年才釋放，與兒子團聚。多年後，父子返鄉，他們要面對失落的親情，以及難以述說的過去。

● 2005 年出品　導演：強恩伊爾馬克 Çagan Irmak

December
19 ｜ # 隱藏攝影機
Caché

「不能出門，你不覺得孤單嗎？」
「為什麼？你坐在花園裡就比較不孤單嗎？
你在地鐵裡，比待在家裡更不孤單嗎？」

youyun.

名利雙收的談話性節目主持人，不斷收到偷拍錄影帶，內容是他的家庭生活和童年故鄉，當中更挾帶血腥圖畫，明顯是針對他而來。他與家人在驚心動魄之餘，堅信是熟人所為⋯⋯

● 2005 年出品　導演：麥可漢內克 Michael Haneke

December
20

冬日甦醒
Winter Sleep

慈善不是朝一隻餓犬扔骨頭，
而是在飢餓時仍不吝分享。

不去直視一個人的眞實面貌，擅自將他奉爲神來崇拜，
又因他不是神而發火。
你覺得這公平嗎？

　　富有的退休演員與熱心善良的妻子經營旅宿，租屋給當地平民。白雪飄落，一顆石頭打破車窗，揭露來自底層人民的怨恨。貧與富、善與惡、美與醜錯綜反覆，這是個充滿衝突與悲歡的長冬。

● 2014 年出品　導演：努瑞貝其錫蘭 Nuri Bilge Ceylan

December 21 | 顛父人生
Toni Erdmann

你必須忙這個忙那個，
但同時，人生正在流逝。

如果沒有顧客的話，
任何行銷概念都沒有意義。

youyun.

　忙於工作的女子，因父親的造訪打亂生活秩序。不得已的情況下，她帶著父親去上班，父女關係變得尷尬。試圖親近女兒卻失敗的父親，選擇神出鬼沒的入侵女兒生活，父女鬥法越演越烈……

● 2016 年出品　導演：瑪倫艾德 Maren Ade

Hate

December
22

瓦塞浦黑幫
Gangs of Wasseypur

仇恨是會遺傳的。

youyun.

> 每個混蛋腦中，都播放著自己的電影。
> 每個混蛋都想成為幻想電影中的英雄。
> 只要這個國家還播放該死的電影，
> 人們就會不斷受到愚弄。

　　火車搶匪因行動失敗而被迫離開家鄉，他到外地當礦工重新開始，一切卻不順利。妻子喪命，他也遭暗殺，就此埋下往後 30 多年因果循環的家族悲劇。

● 2012 年出品　導演：阿努拉格卡許亞普 Anurag Kashyap

| # 情婦
Witness for the Prosecution

「他依賴太太的方式很感人吧？」
「對，就像一個溺水的男人緊抓一片刮鬍刀。」

　　大律師受到保羅委託，要證明他不是謀殺寡婦的凶手。保羅唯一的不在場證明，掌握在妻子手上。開庭那天，妻子站上證人席，推翻丈夫的不在場證明，更表示自己不是保羅的妻子……

● 1957 年出品　導演：比利懷德 Billy Wilder

December
24 | # 男歡女愛
A Man and a Woman

有些星期日開始得如此美好，
卻結束得如此糟糕。

　　走不出喪夫之痛的寡婦，送女兒上學後，錯過回巴黎的末班火車，邂逅
了同樣喪妻，育有一子的賽車手。他們約定一起去接孩子，一同度過愉快
假日。兩人搭火車、開車、海邊走著，娓娓道出往事，一來一往的對話，
寂寞的男女，小心醞釀一段萌芽的戀情⋯⋯

● 1966 年出品　導演：克勞德雷路許 Claude Lelouch

December 25 | 私法爭鋒
Prisoners

「當你射殺鹿時，你會覺得不安嗎？」
「當你走進麥當勞時，你會對牛感到抱歉嗎？」

祈禱能有最好的結果，
但是為最壞的結果做好準備。

　　溫馨感恩節，多佛的兩個女兒突然失蹤。警探全力調查，仍一無所獲。多佛決定自行調查最可疑的嫌犯亞力士，以慘無人道的方式虐待他，問出女兒下落。在父愛與恐懼的強大影響下，警探必須一面調查失蹤案，一面應付、跟蹤多佛，試圖找出亞力士的下落……
● 2013 年出品　導演：丹尼維勒納夫 Denis Villeneuve

December 26 | 偶然與巧合
Hasards ou coïncidences

越大的不幸，越值得去經歷。

> 人生有四大樂趣：一、吃喝；
>
> 二、睡覺，失去意識，是生活中最愜意的事；
>
> 三是遊戲，一切偶然與巧合的遊戲，一切所謂的幸與不幸；
>
> 四是遊戲中的遊戲，偶然中的偶然、巧合中的巧合。

　　前芭蕾舞星與兒子到威尼斯旅行，遇見令人心動的畫家。相處融洽之際，卻發生一場船難帶走畫家與兒子。女子帶著傷痛，歷經千山萬水，完成兒子去加拿大看北極熊的夢想。旅程帶領女子走向苦甜的偶然與巧合。

● 1998 年出品　導演：克勞德雷路許 Claude Lelouch

December 27 | 險路勿近
No Country for Old Men

一個男人必須把
他的靈魂置於風險中，
他必須說：
「OK，我加入這個世界。」

「如果我回不來，告訴我媽，我愛她。」
「你媽已經死了。」
「那好吧，我會親自告訴她。」

我總是喜歡聽以前的事，從來不會錯失任何機會。
你就是忍不住會拿自己跟前人比較。
忍不住猜測，他們在這個時代會怎麼做？

　　魯文在荒野發現一堆屍體，及一箱鈔票。他拋下討水喝的倖存者，帶著鈔票揚長而去。良心不安的他，裝了水回到現場，卻被黑幫群起追殺。他奇蹟逃生，但沒料到，更危險的殺手正在等待他……
● 2007 年出品　導演：柯恩兄弟 Ethan Coen, Joel Coen

December 28 | 悄悄告訴她
Talk to Her

看到感動的事物我會哭，
因為不能和她分享。

> 沒什麼比離開你仍然愛著的人，
> 還要悲傷的事了。

　　班尼諾和馬可在舞蹈表演相識。班尼諾長期看護昏迷的單戀對象；馬可的鬥牛士女友因意外而性命垂危。戀人的離去讓馬可遠走他鄉，班尼諾則因性侵植物人女孩入獄。兩段關係訴說男人的友情與孤寂，及如何深陷在缺乏溝通的愛情中。

● 2002 年出品　導演：佩德羅阿莫多瓦 Pedro Almodóvar

December 29 | 極光追殺令
Dark City

**如果……你記得的一切事，還有我應該
要記得的一切事，都從未真正發生，
而是某人想要讓我們以為發生過呢？**

你想要知道是什麼讓我們身為人類，
你在頭腦裡是找不到答案的。

男子從浴缸中醒來，發現房間中有一具女屍。陌生人打電話告知黑衣人要來抓他，警方也認為他是殺人凶手。他對過去和自己一點記憶也沒有，除了要躲避追殺，他更要找出自己究竟是誰？

● 1998 年出品　導演：亞歷士普羅亞斯 Alex Proyas

December 30 ｜ 愛情對白
Certified Copy

我想，恐怕要維持簡單，一點也不簡單。

> 如果我們能對他人的脆弱多點包容，
> 也許我們會比較不寂寞。

> 如果沒有贗品的存在，我們便無法參透真品。

　　英國作家到義大利宣傳新書時，遇見一名法國女子，兩人一見如故，相約到佛羅倫斯的小村莊。旅途中，他們玩著「假面」夫妻的遊戲，在真假難辨的愛情對白裡迷失。

● 2010 年出品　導演：阿巴斯基阿魯斯塔米 Abbas Kiarostami

**December
31**

A.I. 人工智慧
A.I. Artificial Intelligence

**如果機器人真的能愛一個人，
那這個人對機器人有什麼責任？又該如何
回應它，這難道不是一個道德問題嗎？**

> 我們其實非常羨慕人類，因為他們擁有靈魂，
>
> 能透過藝術、詩歌、數學公式，
>
> 發明百萬種詮釋生命的方式。

　　夫妻將機器人大衛當兒子照顧，彌補缺憾。親生兒子奇蹟康復，返家後與大衛發生衝突，夫妻決定銷毀大衛。母親不忍，放它離開。大衛堅信只要變成「真正的男孩」，就能再度獲得母愛。為完成心願，大衛和玩具熊一同踏上尋找「藍仙女」的旅途，它能變成真正的小男孩嗎？

● 2001 年出品　導演：史蒂芬史匹柏 Steven Spielberg

IT NEVER ENDS...

國家圖書館出版品預行編目 (CIP) 資料

電影院的哲學家 ： 從感動的對白，找到理想的自己。/ 郝廣才編選 . — 初版 .
— 臺北市 ： 遊目族文化出版 ： 格林文化事業股份有限公司發行，2021.05
480 面 ； 14.8×21 公分
ISBN 978-986-190-079-7(平裝)

1. 電影片 2. 人生哲學

987.9   110003384